mémoires d'homme

Collection dirigée par Jean-Pierre Pichette

Contes de bûcherons

DU MÊME AUTEUR

Contribution à l'ethnographie des côtes de Terre-Neuve. Québec, CEN, Université Laval, no 22, 1968 (épuisé).

L'art populaire du Canada français. Québec, Cinémathèque de l'Université Laval, 1971 (épuisé).

Le légendaire de la Beauce. Québec, Garneau, 1974 (épuisé). Nouvelle édition revue et corrigée, Montréal, Leméac, 1978.

Le pain d'habitant (Traditions du geste et de la parole I). Montréal, Leméac, 1974.

Le sucre du pays (Traditions du geste et de la parole II). Montréal, Leméac, 1975.

Contes de bûcherons. Montréal, Les Éditions Quinze et Ottawa, Musée de l'Homme, 1976 (épuisé). Nouvelle édition revue et corrigée, 1980.

Héritage d'Acadie. Montréal, Leméac, 1977.

Le fromage de l'île d'Orléans (et collaborateurs) (Traditions du geste et de la parole III). Montréal, Leméac, 1977.

Vie quotidienne en Acadie. Montréal, Leméac, 1978.

Histoire de l'artisan forgeron. Québec, Presses de l'Université Laval et Éditeur officiel du Québec, 1978.

Sous la direction de l'auteur:

Habitation rurale au Québec. Montréal, HMH, 1978.

Mélanges en l'honneur de Luc Lacourcière (Folklore français d'Amérique). Montréal, Leméac, 1978.

Contes de bûcherons

Musée national de l'Homme

jean-claude dupont

Deuxième édition, revue et corrigée

Quinze

Ce travail a bénéficié d'une subvention de recherche du Centre canadien d'études sur la culture traditionnelle attaché au Musée national de l'Homme à Ottawa.

La photo de la page 7 a été aimablement prêtée par Madame Liliane Caron, Saint-Pamphile, l'Islet.

Les dessins sont de Vivian Labrie.

LES QUINZE, ÉDITEUR
(Division de Sogides Ltée)
955, rue Amherst, Montréal H2L 3K4
tél.: (514) 523-1182

Distributeur exclusif pour le Canada:
AGENCE DE DISTRIBUTION POPULAIRE INC.
(Division de Sogides Ltée)
955, rue Amherst, Montréal H2L 3K4
tél.: (514) 523-1182

Photo, maquette de la couverture
et conception graphique:
Jacques Robert

*"Une bonne fois, je vais vous con-
ter, vous raconter, tant de vérités,
tant de menteries, plus je mens, plus
je veux mentir..."*

PRÉFACE

Cet ouvrage de Jean-Claude Dupont en est déjà à sa deuxième édition. Parus d'abord à la fin de 1976, les « Contes de bûcherons » ont reçu du public un accueil si intéressant qu'ils ont joué un rôle de premier plan dans la mise sur pied de la collection « Mémoires d'homme ». Il devenait donc urgent, faute d'avoir convié le parrain aux célébrations de cette naissance, de lui réserver à tout le moins une place de choix pour assister aux premiers balbutiements de sa filleule; c'est pourquoi nous accueillons aujourd'hui dans notre jeune famille ce recueil que nous voulons associer à notre entreprise d'illustration des traditions orales françaises d'Amérique.

* * *

Jean-Claude Dupont jouit d'une expérience peu commune dans le domaine de la recherche en arts et traditions populaires; sa collection personnelle, riche d'une dizaine de milliers de documents manuscrits, photographiques et sonores recueillis au Québec, au Nouveau-Brunswick, en Nouvelle-Écosse, à l'Île-du-Prince-Édouard, à Terre-Neuve et jusqu'en Louisiane, en témoigne puissamment.

C'est donc un des beaux moments de sa carrière d'ethnologue que l'auteur a choisi de présenter ici en nous offrant onze des récits traditionnels que le Beauceron Isaïe Jolin lui livrait en 1965.

Auteur d'une douzaine de publications sur les traditions populaires, Jean-Claude Dupont oeuvre particulièrement dans le champ de la culture matérielle au CELAT de l'Université Laval dont il est le directeur depuis trois ans.

JEAN-PIERRE PICHETTE
Centre d'études sur la langue, les arts
et traditions populaires (CELAT),
Université Laval, Québec.

J'aurais souhaité publier ces contes du vivant d'Isaïe Jolin, puisqu'ils ont tous été tirés de son répertoire. Nul doute qu'il aurait montré le même émerveillement à la lecture de ses récits que celui qu'il manifestait à l'audition de sa propre voix après chacune des séances d'enregistrement.

Il me fait plaisir de dédier ce livre de contes populaires du Canada français aux nombreux descendants d'Isaïe Jolin, qui y reconnaîtront les récits merveilleux de leur père, ou grand-père ou arrière-grand-père.

Je remercie Margaret Low pour ses précieux conseils quant à la classification de ces contes; et je ne pourrais passer sous silence la somme de travail accomplie par mon épouse, Jeanne Pomerleau, à tous les moments de la préparation de ce recueil.

Les dessins qui agrémentent cet ouvrage sont de Vivian Labrie de Sainte-Foy.

Cette contribution à l'ethnographie traditionnelle du Canada français a été préparée
avec le concours du Centre canadien d'études sur la culture traditionnelle au Musée national de l'Homme, à Ottawa.

JEAN-CLAUDE DUPONT
Centre d'études sur la langue, les arts
et traditions populaires (CELAT),
Université Laval, Québec.

PRÉSENTATION

l. Le conteur Isaïe Jolin de Saint-Gédéon

Au mois d'août 1965, alors que j'enquêtais dans les comtés de Beauce, Mégantic et Frontenac (province de Québec), il m'a été donné de rencontrer cet excellent conteur, monsieur Isaïe Jolin, originaire de Saint-Gédéon de Beauce, alors âgé de quatre-vingt-quatre ans. Cet informateur, à la mémoire prodigieuse, m'a raconté quatorze contes en cinq jours. Lorsque j'ai rencontré monsieur Jolin, il m'a dit qu'il aurait probablement de la difficulté à se souvenir des nombreux épisodes de ses contes, puisqu'il avait cessé de raconter pendant une période de dix-sept ans, soit à partir de l'année du décès de son épouse jusqu'aux années 1960. Pendant cette période, dit-il, il se contentait de *"repasser ses contes dans sa tête"**, pour lui-même. Certains contes qu'il a bien voulu enregistrer sur magnétophone duraient plus d'une heure chacun. Monsieur Jolin ne voulait pas raconter plus de trois contes par jour, disant qu'il avait besoin de ses nuits pour les repasser.

C'est en les entendant raconter par son père qu'il avait appris dès son jeune âge, me dit-il, une cinquantaine de *"contes de menteries"*. Chez les Jolin, c'est la tradition de la *donnaison*, c'est-à-dire le legs du bien paternel à un descendant, qui assura la transmission des contes populaires. De 1840 à 1972, à travers quatre générations, une seule personne par génération fut agent de la continuité littéraire de bouche à oreille; et ce descendant fut toujours celui qui cohabita avec *les vieux* sur le bien paternel. Isaïe garda ses parents chez lui jusqu'à leur mort, et lui-même vécut dans la maison où se trouve encore un petit-fils conteur en 1974.

A travers ces quatre générations, le nombre des contes connus a diminué, et la qualité du récit s'est appauvrie. Isaïe, qui connaissait cinquante contes,

---

* Voir *glossaire* p. 195.

11

disait que son père en savait une centaine; et que ce dernier y mettait beaucoup plus d'épisodes que lui. Jean-Paul, âgé de vingt-trois ans en 1974, petit-fils d'Isaïe, n'a retenu que les deux contes les plus courts de son grand-père; de plus, il ne se souvient que de quelques épisodes.

Selon monsieur Isaïe Jolin, des années 1900 à 1925, il y avait généralement deux ou trois conteurs comme lui par paroisse.

Nul doute que les versions de monsieur Jolin se sont répandues un peu partout au Canada et aux Etats-Unis, puisqu'il travailla durant toute sa vie dans les chantiers forestiers des Vieux-Bois au Québec et dans ceux des Bois du Maine au nord des Etats-Unis.

Ces lieux forestiers où Isaïe racontait ses récits merveilleux, et à même lesquels son village lui-même avait été taillé, font partie de la grande forêt domaniale des Appalaches qui constitue le limbe frontalier de la zone extrême canadienne du Sud-Est. Les habitants des villages limitrophes de cette lisière de forêt québécoise la désignent par deux toponymes différents selon la région où ils demeurent. De Mégantic à l'Islet, cette forêt québécoise des Appalaches prend le nom de Vieux-Bois, tandis que dans l'autre partie, située plus à l'est et allant vers le Nouveau-Brunswick, on parle plutôt des Grands-Bois. Dans la tradition orale, on utilise très souvent l'expression les *grands bois* pour désigner une grande étendue de forêt peu fréquentée. La lisière de forêt qui s'est méritée le toponyme de Grand-Bois est en fait plus profonde et fut exploitée plus tardivement que celle des Vieux-Bois.

Jusqu'aux années 1950, le jeune homme qui se rendait passer son premier hiver dans un chantier forestier franchissait une étape importante dans les rites de passage de la vie: il abandonnait le groupe des adolescents pour accéder à celui des adultes. Cette entrée dans la catégorie des hommes était aussi marquée par la rencontre des étrangers. Ces camps forestiers regroupaient des Canadiens anglais, des Américains, des Acadiens, des Gaspésiens, etc.; et il suffisait souvent d'un seul hiver passé parmi eux pour que le jeune homme parle ensuite, toute sa vie, de tel homme qui ne pouvait pas parler français, de tel homme fort de Caraquet, Nouveau-Brunswick, de tel *sacreur* qui s'était estropié, de tel conteur, etc.

Au printemps, lorsque le jeune homme *descendait du bois*, il avait une

12

allure fière: il *faisait son Christ*. Il était indépendant financièrement, pouvait commencer à *aller voir les filles*, il portait des vêtements *achetés faits*, des bottes et une ceinture festonnées, pouvait *parler l'anglais*, etc.

Au contact de tous ces étrangers, le violoneux apprenait de nouveaux airs de musique, le chanteur découvrait des complaintes originant de d'autres régions que la sienne, etc. Isaïe Jolin, lui, disait avoir conservé facilement le fil de ces longs récits parce qu'il était conteur dans les camps de bûcherons ou de draveurs où il travaillait. Comme faveur, parce qu'il récréait les hommes pendant la soirée, il avait alors la permission du contremaître d'entrer au *camp* un peu plus tôt que les autres le soir. Isaïe ne fut jamais engagé comme conteur dans les chantiers forestiers. D'ailleurs, c'est à tort que certains auteurs n'ayant jamais fait d'enquête, et, par conséquent, jamais rencontré de conteur-informateur, rapportent qu'il était coutume de payer un conteur pour récréer les bûcherons. Il n'aimait rien de mieux, disait-il, que de rencontrer un autre conteur dans les *camps:*

> On essayait de se *bitter*, chacun son soir. Lorsqu'un conteur entamait un conte dans les *camps*, si quelqu'un faisait du bruit, on le faisait taire; les hommes *venaient malins*, ils ne voulaient rien perdre. J'ai jamais été payé, mais j'avais droit à certains honneurs.

Isaïe Jolin se spécialisait dans les contes merveilleux qu'il appelait des *"contes de Tit-Jean"*. Il disait avoir entendu bien des *contes drôles* de même que des complaintes dans les *chantiers*, mais qu'il ne les avait pas appris, étant alors trop vieux.

Pour s'exécuter, Isaïe se fermait les yeux et se berçait lentement. A la fin de chaque conte, il répétait: *"C'est-y de valeur, poupa contait si bien ça, moi il m'en manque gros pour l'égaler"*.

Durant les derniers vingt-cinq ans de sa vie, lorsque sa famille fut élevée, Isaïe sentit le besoin pendant l'été de se créer un monde merveilleux en forêt. Il se fit d'abord bâtir un *camp* en pleine forêt où il vivait seul, passant ses journées dans la nature sauvage et n'en sortant que pour venir chercher de la nourriture chez son fils de Saint-Gédéon. A mesure qu'il vieillissait, Isaïe trouvait le campement éloigné et il craignait le carnage des ours, surtout la nuit.

13

Vers 1963, alors qu'il était âgé de plus de quatre-vingts ans, il demanda à son fils du même nom que lui, Isaïe, de lui bâtir un autre *camp*, beaucoup plus près de la maison, mais en lisière de la forêt. Notre conteur, Isaïe Jolin, y passa les derniers étés de sa vie ; en hiver, il demeurait à l'hospice de madame Breton à Saint-Benoit-Labre, dans la Beauce. Ce petit *camp*, qui n'était éloigné que de deux *arpents* de la maison familiale, prit, lui aussi, bien vite l'aspect de la petite maison du conte merveilleux. Il était construit le long d'un ruisseau, entouré d'arbres, et faisait face à un lac. Pour que rien n'y manquât, Isaïe sculpta des *chevreuils* de bois, découpa des écureuils dans de la tôle et fixa ses reproductions ici et là sur son petit domaine. Il y ajouta des panaches de *chevreuils* et d'*orignaux*, qu'il cloua sur les murs extérieurs du campement. De plus, il en décora l'intérieur avec des calendriers et des cartes de souhaits illustrant des animaux sauvages.

2. Les contes de chantiers d'Isaïe

Les versions originales, que je présente ici, font partie de ma collection personnelle (1), et sont déposées aux Archives de Folklore de l'Université Laval à Québec, de même qu'au Musée national du Canada à Ottawa.

L'informateur donne toujours un titre à son récit, c'est ce que l'on appelle le "titre populaire" ; c'est ce dernier qui apparaît au début de chacun des contes d'Isaïe Jolin. A côté de cette désignation, qui varie selon le goût du conteur, un "titre critique" (ou conte-type), donné par les spécialistes de la littérature orale, apparaît aussi dans les annotations qui accompagnent chacun des textes présentés. Le "titre critique" est reconnu internationalement et il sert à rassembler sous un même titre les versions de même type. De plus, pour les commodités du cataloguage d'archives, l'identification d'un conte comporte aussi un numéro qui le rattache à une catégorie de récits (merveilleux, religieux, etc.).

---

1. J'ai déjà publié un des contes d'Isaïe Jolin, intitulé "le Corps sans âme" ("le Coeur de l'ogre dans l'oeuf", c-type 400 et 302) dans *le Légendaire de la Beauce*, Québec, Garneau, 1974, p. 109-126.

Ces annotations accompagnant chacun des contes d'Isaïe Jolin et renseignant sur leur diffusion dans le monde et sur leur fréquence au Canada français, se réfèrent aux travaux de:

Paul Delarue et Marie-Louise Tenèze, *le Conte populaire français*, Paris, Maisonneuve et Larose, T. I, 1957 et Paris, Erasme, T. II, 1965.
Luc Lacourcière, *Catalogue des contes populaires français d'Amérique du Nord*, Québec, A.F.U.L., fichiers manuscrits, commencés en 1956, en cours.
Stith Thompson, *The Folktale*, New York, Dryden Press, 1951, 510 pages.

Les titres de ces contes et les références aux documents sonores originaux sont les suivants:

   I. *La Bête à sept têtes*, Archives de Folklore, Université Laval, collection Jean-Claude Dupont, enreg. sonore no: 393;
  II. *Jack de Bois*, A.F., U.L., coll. J.-C. D., enr: 484;
 III. *Le Petit Jacob*, A.F., U.L., coll. J.-C. D., enr: 481;
  IV. *Les Sept Princes*, A.F., U.L., coll. J. C. D., enr: 408;
   V. *Le Roi qui donne la moitié de son royaume*, A F., U.L., coll. J.-C. D., enr: 400;
  VI. *Le Père qui veut épouser sa fille*, A.F., U.L., coll. J.-C. D., enr: 407;
 VII. *Le Roi parrain*, A.F., U.L., coll. J.-C. D., enr: 477;
VIII. *La* Bean, A.F., U.L., coll. J.-C. D., enr: 480;
  IX. *La Veuve et les Trois Enfants*, A.F., U.L., coll. J.-C. D., enr: 479;
   X. *Le Petit Ruban bleu*, A.F., U.L., coll. J.-C. D., enr: 401;
  XI. *L'Oiseau de vérité*, A.F., U.L., coll. J.-C. D., enr: 406.

Le conte populaire est un récit fictif et merveilleux dont les personnages ne sont pas individualisés et dont l'action n'est pas localisée. Le conte de la littérature orale veut avant tout récréer et distraire, c'est-à-dire fournir une évasion; il a donc une fonction esthétique et sociale. Le conte populaire n'essaie pas, comme le mythe, d'expliquer la cause d'un phénomène naturel et de faire jouer aux dieux un rôle prépondérant. Il est différent également de la légende qui, elle, est localisée, individualisée, objet de croyance, et repose sur un fonds historique.

Le conte de la littérature orale québécoise appartient à la tradition européenne, de l'Asie occidentale à l'Inde, et au nord de l'Afrique; il a été apporté au Canada par les premiers colons qui ne faisaient que transmettre des versions orales de récits qui se disaient depuis des siècles, sinon des millénaires, dans les *vieux pays:* "le Voleur de Paris", conte qu'on retrouve encore au Canada, est rapporté par Hérodote au Ve siècle (av. J.-C.), et ce dernier le rattache au roi Rhamsinite.

Lorsque les frères Grimm publièrent leur collection de contes (1812-1845), les classes cultivées de la France ne soupçonnaient pas qu'il s'était transmis dans leurs campagnes des contes aussi beaux que ceux de la tradition allemande. En fait:

> ... les écoles artistiques et littéraires se transforment ou disparaissent, mais les conceptions populaires sont plus tenaces que celles des esprits cultivés parce que plus conformes à l'esprit du plus grand nombre (2).

Des versions de tous les contes qui font partie de ce volume ont déjà été relevées à travers le Canada français, et elles sont conservées aux Archives de Folklore du CELAT de l'Université Laval. Par exemple, "le Petit Ruban bleu", a été enregistré auprès de quarante-sept informateurs de lieux différents (3).

Si le "corps" du conte est fixé dans la tradition populaire, ses "membres" ne sont cependant pas paralysés; le conte québécois est influencé par le milieu ambiant, c'est ce qu'on pourrait appeler l'acclimatement du conte. Ces éléments qui prennent la couleur locale peuvent être de stylistique, de vocabulaire, de structure, d'influence littéraire (ou vice-versa), d'esthétique, de fonction dans le milieu de vie, etc.

---

2. Catherine Jolicoeur, "le Vaisseau fantôme", *les Archives de Folklore*, vol. 11, Québec, Les Presses de l'Université Laval, 1970, p. 7.
3. Luc Lacourcière, "le Ruban qui rend fort", dans *Cahier des Dix*, no 36, Québec, Ed. des Dix, 1971, p. 235 à 297.

Le conteur ne crée pas ses contes, mais il constitue lui-même son répertoire, il fait un choix et ne retient que quelques versions parmi celles qu'il a entendues. Ce sont ces thèmes, qu'il affectionne particulièrement, qui composeront le répertoire du conteur et traduiront ses sentiments.

Le milieu ambiant se retrouve dans les descriptions que font les conteurs. Le pêcheur présentera une bête à sept têtes sortant de la mer et livrant combat sur la grève, tandis que le bûcheron décrira plutôt la même bête vivant dans les bois et combattant en lisière de la forêt.

Dans les versions présentées ici, le bois et la forêt sont omniprésents; on verra même qu'un corps d'arbre peut donner naissance à un enfant, et que c'est presque toujours lorsque le héros est assis sur un tronc d'arbre que les aides merveilleux font leur apparition. J'ai souligné plus en détail cette présence dans l'annotation de certains contes.

Le milieu physique en général a aussi son importance; en Europe, un même récit fera état d'un certain château attaqué par des géants, tandis qu'Isaïe Jolin parlera plutôt d'une montagne de glace abritant une princesse, et les géants se transformeront en "Vent-du-Sud et en Vent-du-Nord".

Les différents motifs, ou scènes d'un conte, savent aussi reconstituer le genre de vie traditionnel auquel appartient l'informateur. Par exemple, la salle de bal du château, décrite par Isaïe Jolin, prend l'aspect de la grande cuisine de la maison rurale québécoise, et c'est une *tourtière* canadienne que le prince reçoit de Peau d'Anesse.

Les pratiques populaires mises en cause seront aussi celles de la civilisation traditionnelle à laquelle appartient le conteur; comme le veulent les coutumes du pays, la marraine remplacera la mère décédée auprès de sa filleule, le baptême d'un enfant devra se faire aussitôt après la naissance, etc.

La mutation d'un conte peut aussi se ressentir de sa fonction sociale. Certains contes d'Isaïe Jolin dits dans les camps de bûcherons font état d'une "grasse littérature pour hommes de *chantiers*": Tit-Jean *"saute au bec"* de la princesse et passe une belle journée avec elle; Jack de Bois détruit une armée avec ses excréments, etc.

Le conte populaire regroupe quatre catégories principales de récits; ce sont:

1. **les contes d'animaux,** sauvages ou domestiques (des oiseaux, des poissons, etc.);
2. **les contes merveilleux,** qui se subdivisent:
   a) en contes magiques (adversaires surnaturels, tâches impossibles, objets magiques, forces surnaturelles, etc.);
   b) en contes religieux (Dieu, les saints, etc.);
   c) en contes d'ogres;
3. **les contes à rire,** qui prennent plaisir à se moquer des gens mariés, des vieux garçons, des vieilles filles, des ordres religieux, des menteurs, etc.;
4. **les contes sans fin ou à formules,** séries d'attrape-nigauds (4).

Les contes d'Isaïe Jolin appartiennent à la deuxième catégorie ci-dessus mentionnée; ce sont des contes merveilleux qui font intervenir, entre autres, la magie, les fées et les ogres.

La transcription des textes enregistrés sur magnétophone est très fidèle, sauf lorsqu'il y avait dans un conte répétition des mêmes épisodes. Cette technique narrative de la répétition, qu'affectionnent les bons conteurs, consiste en cours de récit à recommencer le conte depuis le début, lorsqu'un nouveau personnage apparaît et qu'il doit être mis au courant des événements précédents. Ce procédé narratif rallonge de beaucoup le récit, et lorsqu'il s'agit d'une présentation écrite comme c'est le cas ici, il peut devenir fastidieux.

Pour donner de la vie à ses récits, Isaïe Jolin use de plusieurs procédés; et un de ceux-là consiste à présenter un récit dialogué, recréant même les intonations de voix particulières aux différents personnages.

Pour nous entraîner dans son conte, l'informateur emploie des verbes d'action et il n'hésite pas à répéter un même mot jusqu'à trois fois pour signifier le mouvement, la durée ou la distance. C'est ainsi qu'il dira: "*... il part. Un coup parti, marche, marche et puis marche*" ou bien encore: "*Il a cherché pendant un an et un jour, et au bout d'un an et un jour...*"

Dans l'annotation du conte "les Sept Princes", j'ai relevé une autre des

---

4. Antti Aarne, "Verzerchnis der Marchentypen", *The Types of The Folktale*, traduction et suite de Stith Thompson, Helsinki, Suomalainen tiedeakatenia, 1961, 588 pages.

18

techniques du conteur, celle des procédés mnémotechniques pour mémoriser ses longs récits qui durent parfois plus d'une heure chacun.

Je me suis efforcé de transcrire les textes dans la langue même de l'informateur pour conserver les mots imagés et les expressions populaires significatives. Un glossaire, à la fin de ce recueil, donne les équivalents français pour les mots et expressions qui ne sont pas d'usage courant. J'ai aussi conservé les constructions de phrase du conteur; elles présentent certaines particularités, dont l'ellipse régulière de mots renforçant habituellement la négation, etc. Nous n'avons pas non plus tenu compte des faits de morphologie et de syntaxe.

I

LA BÊTE À SEPT TÊTES

Le récit de "la Bête à sept têtes" (1) met en cause un jeune homme assisté de trois chiens, livrant combat à un monstre. À la fin, le jeune homme est vainqueur, mais un imposteur veut s'attribuer le mérite de la victoire. Comme dans de nombreuses versions françaises, Isaïe Jolin ajoute à ce conte merveilleux un épisode du conte de la "la Soeur infidèle (2): le jeune homme, avant de combattre la bête à sept têtes, doit échapper à l'empoisonnement que lui prépare sa soeur sur le conseil d'un ogre.

"La Bête à sept têtes" est l'un des plus anciens récits de la tradition européenne. On l'a également relevé dans la littérature orale des Baltiques et de la Russie, de même qu'en Afrique du Nord et dans l'est de l'Inde. Il fut apporté en Amérique par les Espagnols et les Français, et on le retrouve même dans le répertoire des Amérindiens. Ce conte se rapproche en plusieurs points de la légende grecque antique de Persée et Andromède.

Le héros d'Isaïe Jolin, contrairement à celui du conte européen, n'est ni un berger, ni un soldat, ni un garçon qui s'en va chercher fortune, mais l'enfant d'un bûcheron. Le jeune garçon et sa petite soeur abandonnent leur famille et s'en vont à l'aventure en forêt. Au moment de la séparation, le père, qui est très pauvre, ne leur remet en héritage qu'un vieux fusil. La mère, qui les "*magane*", leur donne un petit sac de galettes.

Rendus en forêt, les moyens essentiels de survie sont un abri pour se coucher et de la *soupe* pour manger. Le jeune homme est habitué à la vie

---

1. Aarne-Thompson, "le Tueur de dragons", c-type 300. 136 versions de ce conte ont été retrouvées en Amérique française et sont cataloguées aux Archives de Folklore de l'Université Laval.
2. Aarne-Thompson, "la Soeur infidèle", c-type 315. 19 versions sont cataloguées aux A.F., U.L.

21

rude des bois et il se fait un lit de sa blouse. L'occupation première du garçon est alors la chasse et celle de la jeune fille est de faire *l'ordinaire de la maison.*

La forêt est le milieu physique, et le jeune héros y est si bien identifié que lorsqu'il parle de moyens de communication ou de repères d'orientation, il ne parle pas de routes, mais de *"lignes de têtes d'arbres"*. L'existence réelle existe au sein de la forêt vierge, et, quand il veut signifier l'inconnu, il emploie alors l'expression *"prendre un chemin de bois"*. Lorsque le héros arrive à la civilisation où ont lieu des impostures, le héros *sort du bois* ou *arrive en ville.* Il nourrit une méfiance naturelle contre l'homme étranger qui est représenté par un homme de métier, soit un charbonnier. A la fin du récit, l'imposteur qui a voulu le jouer ne sera pas pendu ou écartelé, comme dans les contes européens, mais il sera emprisonné dans une haute cage de bois et brûlé.

C'est au milieu des merisiers que les combats ont lieu. Cet arbre de bois franc, lent à pousser et de petite dimension, porte des petits fruits rouges. Dans la pensée populaire, cette essence de bois en est une de misère pour le bûcheron. On dit communément, en parlant d'une mauvaise terre à bois, que c'est *"un lot de petits merisiers"* et que *"bûcher du merisier gâte le taillant de la hache"*. Lors des combats, Isaïe Jolin dit que les sept têtes de la bête *"revolent après les merisiers"*. De plus, le jeune homme ne tue pas la bête, mais il la détruit.

Le temps qui dure n'est pas un long temps, mais plusieurs durées successives que l'on désigne par l'expression *"tant de temps"*. Le dernier moment vient plus tard que dans le conte européen. Dans le récit canadien, le héros n'arrive pas la veille des noces de son rival, mais après la noce. Ce qui ne l'empêche pas d'obtenir la princesse en mariage, puisque l'adversaire et la princesse n'ont pas encore consommé physiquement leur union.

ne bonne fois, je vais vous conter, vous raconter, tant de vérités, tant de menteries, plus je mens, plus je veux mentir.

C'était un homme qui était veuf, puis il s'est remarié. Il avait deux enfants, et la belle-mère battait les enfants et les *maganait*. Un bon jour, tandis que le bonhomme travaillait dans le *bois*, les deux enfants ont dit:

— On va aller demander notre héritage à notre père et on va s'en aller.

Ils partent et vont le trouver. Leur père était tout surpris de les voir arriver, parce qu'ils avaient jamais été là auparavant.

— Qu'est-ce que vous venez faire aujourd'hui?
— Bien, on s'est fait battre encore toute la journée pour rien, on vient vous demander notre héritage, et on s'en va.
— Qu'est-ce que vous voulez que je vous donne, j'ai rien qui m'appartient, on *vaut pas grand-chose*.
— Je vous demanderai pas grand-chose, seulement votre vieux fusil.
— Eh! bien ça tu vas l'avoir.

Ça fait que toujours le bonhomme part avec eux autres, et dit à la bonne-femme:

— Fais-leur chacun un sac de galettes, ils veulent s'en aller demain matin.

Ah! *maudit*! elle *tombe dans la farine*, puis leur fait chacun un sac de galettes.

Ça fait que le lendemain matin, ils partent vers neuf heures. Qu'est-ce qu'ils font rencontre? Trois hommes avec trois chiens. Les deux enfants avaient peur, ils se jettent à côté du chemin, puis ils ont salué les trois hommes du mieux qu'ils ont pu, et aussi poliment qu'ils ont pu. Les trois hommes en ont pas *fait de cas*. Puis après avoir fait un petit bout, il y en a un qui dit à l'autre:

— Sais-tu qu'on a été grossier tantôt!

— Quoi grossier?

— Oui, les enfants avaient peur, ils se sont jetés à côté du chemin, ils nous ont salués aussi poliment qu'ils pouvaient, et on les a même pas regardés. Si vous voulez dire comme moi, on va leur faire un cadeau.

— Qu'est-ce que tu veux leur faire, on a rien que nos chiens.

— On leur *baillera* nos trois chiens.

— Fais comme tu voudras.

Toujours, ils appellent Tit-Jean. Ils avaient peur, mais les trois hommes disent:

— Ayez pas peur, on vous fera pas mal. On a été grossier tantôt envers vous autres, on voyait que vous aviez peur parce que vous vous êtes jetés à côté du chemin. Puis vous nous avez salués poliment, et nous autres, on vous a seulement pas regardés. On a pas grand-chose à vous donner, on a seulement que nos trois chiens.

Tit-Jean dit:

— Je suis pas capable de faire vivre trois chiens et puis nous autres.

— Qu'est-ce que tu dis là, toi? C'est pas toi qui va faire vivre les trois chiens, ce sont les chiens qui vont vous faire vivre.

— Ils voudront pas nous suivre.

— Appelle-les Fort, Vite, et Défends-ton-Maître, et ils vont te suivre.

Ça fait que là, ils remercient les trois hommes du mieux qu'ils ont pu, et aussi poliment que possible, et Tit-Jean dit:

— Fort, Vite, et Défends-ton-Maître, revirez avec nous autres.

Les trois chiens revirent.

Ça fait qu'ils ont marché jusqu'au soir. Là, ils arrivent à une belle butte, sur une belle côte, où ils voyaient loin dans le *bois* et il dit à sa petite soeur:

— On va se bâtir ici.

24

Ça a pas pris de temps qu'ils ont couché dans la bâtisse. Le lendemain matin, Tit-Jean dit:
— Tu vas faire le tour de la montagne pour trouver de l'eau et des fruits pour faire de la *soupe.*
— Oui, je vais y aller.
— Moi, je vais prendre mes trois chiens et je vais aller chasser.

La petite fille se met à faire le tour de la montagne, elle trouve des fruits pour faire de la *soupe,* mais pas d'eau. Elle part d'un autre bord, et de loin, elle voit une belle source; et elle était grande, et se dit:
— Je vais toujours bien avoir de la belle eau ici.

Comme elle va pour tremper de l'eau, il en sort une bête à sept têtes qui dit:
— Depuis le temps que j'ai pas mangé, je vais toujours bien avoir une fille à manger ce matin.
    Elle *se défend sur* son petit frère:
— C'est mon petit frère qui m'a envoyée ici, je *suis* pas *capable* moi.
— Si tu veux le faire mourir, je vais te laisser tranquille, mais il faut que tu me l'amènes.
— Oui, je vais te l'amener, certain.
— Tiens, je te donne ce poison-là pour mettre dans sa *soupe* ce midi.

Ça fait que toujours, elle part, contente de s'en aller avec de l'eau, mais pas contente du reste.

Là, Tit-Jean arrive avec sa chasse, il dit:
— As-tu fait de la *soupe?*
— Oui, viens voir comme j'ai de la *belle soupe.*
— Oui, tu as de la *première belle soupe.*
    Ils s'étaient fait des assiettes et des cuillères en bois. Elle lui *trempe* une

assiette de *soupe*, puis elle met du poison dedans. Comme il va pour prendre une cuillerée de *soupe*, son chien Fort arrive, et lui *maudit un coup* de patte. Sa cuillère revole.

— Il y a quelque chose ici, ma petite soeur.

— Non, il y a rien.

Ça fait qu'il part pour prendre une autre cuillerée de *soupe*, le chien Défends-ton-Maître arrive, puis lui *maudit* aussi *un coup* de patte, ça revole encore.

— Ah! bien c'est signe qu'il y a quelque chose ici, ma petite soeur, mes chiens me feraient pas ça.

— Non, il y a rien.

Là, il va chercher la cuillère, et se dépêche pour prendre une cuillère de *soupe;* son chien qui était Vite lui *maudit* encore *un coup* de patte. La cuillère revole et se casse.

— Il y a quelque chose ici, tu vas parler, oui ou non?

— Oui, il y a quelque chose.

— Qu'est-ce qu'il y a?

— J'ai fait le tour de la montagne par là, j'ai trouvé des fruits tant que j'ai voulu pour faire de la *soupe*, mais j'avais pas trouvé d'eau. J'ai retourné sur l'autre bord, j'ai vu une source bien belle, un peu loin. Là, j'étais contente; comme j'étais à remplir ma petite chaudière dans l'eau, il m'a *ressoud* une bête à sept têtes en me disant: "Depuis si longtemps que j'ai pas mangé, j'ai une fille à manger ce matin". Je me suis *défendue sur* toi. Elle voulait que je te fasse mourir. Je lui ai dit que j'étais pas capable de te faire mourir, que tu étais plus fort que moi. Elle m'a donné du poison pour mettre dans ta *soupe*. C'est ça qui arrive.

— Tu l'as mis dans ma *soupe?*

— Oui.

— Tu vas venir me montrer cette bête à sept têtes-là.

26

— Ah! non j'y vais pas. On va se faire dévorer.

— Tu vas venir me la montrer.

Il la poigne par le *chignon du cou*, et puis marche. Comme il arrive à la source, la bête à sept têtes qui sort. Elle dit:

— Depuis si longtemps que j'ai pas mangé, j'en ai cinq à manger ce matin (deux personnes et trois chiens).

Tit-Jean dit:

— Avant que tu en manges cinq, tu vas toujours bien *manger une maudite soupe chaude*. Fort, Vite et Défends-ton-Maître, faites-moi-la mourir au plus vite.

Chaque coup de dents que les chiens donnaient, les têtes revolaient entre les gros merisiers. Après qu'elle fut morte, il dit:

— Regarde, ma petite soeur, tu as voulu me faire mourir, hein, tu vas prendre ton *bord* et moi le mien.

— Non.

— Tu as pas pu me faire mourir ce coup-là, un autre coup tu me feras mourir.

— Ah! non, je ferai plus ça.

— Prends ton *bord* puis moi le mien.

Il part, puis elle veut le suivre par derrière. Il lui *maudit une volée*, et elle tombe sans connaissance. Il s'en va, puis *prend le bois* et la laisse là.

Là, il marche un an et un jour, et il arrive dans une ville qui était tout en noir, tout en deuil. Il s'en va se réfugier chez le voisin du roi; c'était une vieille grand-mère. Il demande à loger.

— Je suis pas capable de loger personne, j'ai quasiment rien à manger et seulement un lit pour moi.

— Madame, je mangerai comme vous, et je me coucherai à côté du poêle, sur ma blouse. Ça fait un an et un jour que je marche, je suis bien fatigué.

— Dans ce cas-là, je vais te garder.

En *soupant*, il dit:
— Bonne grand-mère, vous allez me dire une chose!
— Si je le sais, je vais te le dire.
— Qu'est-ce que ça veut dire, je suis *sorti du bois* tantôt, et le village est tout en noir, tout en deuil.
— Ça, je le sais certain, demain matin, c'est la dernière fille qui se fera dévorer par la bête à sept têtes. C'est la princesse du roi qui va se faire dévorer.
— Oui, vous pouvez me montrer ça!
— Couchez-vous, puis demain matin après *déjeuner* je vous montrerai.
— *C'est bon.*

Ça fait qu'ils se couchent. Le lendemain matin, la bonnefemme chauffe son poêle. Après *déjeuner*, il dit:
— Bonne grand-mère, vous allez me dire quel bord prendre pour aller trouver cette bête à sept têtes-là?
Elle dit:
— Vous voyez les *têtes d'arbres* qu'il y a là, eh! bien c'est le bon chemin.

Il veut partir.
— Il y a pas de presse, elle va passer vers huit heures et demie, neuf heures.

Il attend à huit heures et demie, puis il part et prend le chemin. Ça faisait une *secousse* qu'il marchait, puis il trouve un petit *corps mort*, et il *s'assit* dessus en attendant la princesse. La princesse le voit de loin un peu, elle avait peur que ce fut la bête, elle reculait, puis avançait.
— Belle princesse, venez, ayez pas peur, je suis pas dangereux.
Elle arrive près de lui.
— Voulez-vous me dire pourquoi une belle princesse comme vous, vous *prenez un chemin de bois*?

— Vous savez pas ça?

— Non, je suis arrivé d'hier, et puis je prenais un autre chemin là pour m'en aller, puis je savais pas où j'allais.

— Bien ici, il y a une bête à sept têtes qui dévore une fille tous les matins, et ce matin, c'est moi qui suis la dernière fille du pays, et quand elle m'aura dévorée je sais pas comment ça ira dans le pays.

— Voulez-vous que j'aille avec vous?

— Non, vous allez vous faire dévorer *pareil comme* moi.

— Moi, votre vie ou bien ma vie, laquelle est la meilleure? Elles sont pas meilleures l'une que l'autre. Je m'en *foute* bien de ma vie.

— Si vous vous *foutez* bien de mourir, venez si vous voulez.

— *C'est bon.*

Il part avec la princesse et toujours ils arrivent sur le champ de bataille. La bête à sept têtes qui était rien que sur les deux pattes de derrière et puis qui dansait, disait:

— Depuis *tant de temps* que j'ai rien qu'une fille à manger à tous les matins, j'en ai cinq là.

Tit-Jean dit:

— Avant que tu en manges cinq, tu vas toujours *manger une maudite soupe chaude.* Fort, Vite, et Défends-ton-Maître, faites-moi-la mourir au plus vite!

En disant ça, les chiens *se dardent;* à chaque coup de dents qu'ils donnaient, les têtes revolaient après les merisiers. Après qu'elle fut morte, il dit:

— A qui vous devez votre vie, belle princesse?

— Pas à d'autres qu'à vous.

— Donnez-moi vos mouchoirs puis vos joncs.

Elle prend ses mouchoirs et ses joncs puis lui donne.

— Là, moi je m'en vais pas tout de suite. Il faut que je parte pour un an et un jour. Dans un an et un jour, je serai ici et je vous marierai. Maintenant vous pouvez vous en aller.

Lui, il part, puis il va chercher les sept langues qu'il y avait dans les sept têtes, et il met ça dans ses poches.

Elle, elle avait son *cavalier* qui était venu la reconduire jusqu'au bord du *bois*, il avait entendu ces *bordas*-là. Ça fait qu'en arrivant près de lui, il lui présente un revolver dans la face et dit:
— Si tu fais pas serment que c'est moi qui a(i) tué la bête à sept têtes, je te tue tout *droit* ici.
Elle fait serment que c'était lui qui avait tué la bête à sept têtes, et là il part et va chercher les sept têtes.

Ça fait que toujours, elle s'en va à la maison du roi. Le roi bien surpris de voir revenir sa fille:
— Comment ça se fait que tu reviens?
— Charbonnier a tué la bête à sept têtes.
— Ah! il a tué la bête à sept têtes!

Le roi s'informe pas pour savoir comment il s'y est pris. Charbonnier voulait se marier, mais elle le retardait toujours de trois mois en trois mois. Au bout d'un an, le roi dit:
— Si c'est lui qui a tué la bête à sept têtes, *paroles de roi*, tu vas le marier.

Sous la voix du roi, il faut passer par là. Ils se marient le matin et Tit-Jean arrive le soir. Il va encore se réfugier chez la vieille grand-mère qui le garde.
— Bonne grand-mère, vous allez me dire une chose encore ce soir.
— Qu'est-ce que c'est? Si je le sais, tu vas le savoir.
— Qu'est-ce que cela veut dire, en arrivant au bord du *bois* tantôt, la ville est tout illuminée, je comprends pas ça.

30

— C'est pas malaisé à dire, c'est la princesse qui s'est mariée ce matin.
— La princesse s'est mariée ce matin!
— Oui.

Bien, il était après *souper*, et dit:
— Bonne grand-mère, si on avait un beau pain blanc, savez-vous que ce serait bon à manger!
— Oui, mais on l'a pas.
— On va l'avoir. Fort, viens ici. Es-tu capable d'aller me chercher un beau pain blanc sur la table de la mariée?
Il fait signe que oui.
— En arrivant à la porte, tu passeras ta patte sur la clenche de la porte, tu entreras, tu feras le tour de la table, et tu iras trouver la mariée, puis caresse-la un peu.

Ça fait que le chien part. La bonnefemme commence à *gronder*, elle avait peur.

Là, il arrive à la porte, pose la patte sur la clenche puis entre, il voit la mariée et il va la trouver. La mariée reconnaît le chien, elle se dit en elle-même: "Tit-Jean est arrivé". Toujours que le chien caressait la mariée, puis elle flattait le chien, puis il aimait ça se faire flatter par la mariée. Ça fait que toujours, il pose la patte sur un pain blanc, et puis *prend la porte*. Le roi s'en aperçoit:
— Comment ça, les chiens qui viennent chercher à manger sur la table ce soir!
Le chien s'en va à la maison et Tit-Jean dit:
— Tiens, bonne grand-mère, un beau pain blanc. Ça va être bon, hein! Maintenant, si on avait un *beau rôti* qu'il y a sur la table de la mariée, ce serait encore bien meilleur!
— Oui, mais on l'a pas.
— On va l'avoir bonne grand-mère.

— Faites pas ça, on va se faire pendre.

— Bonne grand-mère c'est pas vous qui va (allez) être la pire, c'est moi. Défends-ton-Maître, viens ici un peu. Es-tu capable d'aller me chercher un *beau rôti* qu'il y a sur la table de la mariée?

Il fait signe que oui.

— Tu feras comme l'autre, tu poseras la patte sur la clenche de la porte, et tu entreras. Va trouver la mariée puis caresse-la plus longtemps cette fois.

Le chien part, arrive à la porte, et pose la patte sur la clenche de la porte, puis entre. La mariée reconnaît le deuxième chien. Elle se dit "Tit-Jean est arrivé". Il la caresse longtemps, et quand il a été *tanné*, il pose la patte sur un rôti, puis *prend la porte*. Le roi s'en aperçoit!

— Comment! s'il revient un autre chien pour prendre à manger sur la table, il va se faire poursuivre.

Le chien arrive à la maison et Tit-Jean dit:

— Tiens, bonne grand-mère, regardez un beau pain blanc, un bon rôti. Que ça va être bon à manger! Si on avait une *belle bouteille de vin*, bonne grand-mère ce serait encore meilleur!

— Oui, mais là on va se faire prendre.

— Dites rien, bonne grand-mère. Vite, viens ici toi. Es-tu capable d'aller me chercher une *belle bouteille de vin* sur la table de la mariée?

Il fait signe que oui.

— Tu feras comme les autres, tu poseras la patte sur la clenche de la porte, puis tu iras trouver la mariée. Tu la caresseras encore plus longtemps que les autres fois.

Le chien part, arrive au château, pose la patte sur la clenche, puis entre. La princesse se dit en elle-même: "Ah! les trois chiens qui ont détruit la bête à sept têtes"; mais elle était pas capable de parler. Le chien arrive près d'elle, se met à la caresser *pareil comme* s'il avait vécu bien longtemps avec elle. Quand il a été *tanné*, il pose la patte sur la bouteille de vin et sort. Le roi s'en aperçoit:

— Vite, les soldats, faut suivre ce chien-là.

Toujours que le chien s'en allait tranquillement, puis les soldats le suivaient. Ils arrivent chez la bonne grand-mère, puis disent à Tit-Jean:

— C'est à vous ces chiens-là?

— Oui, c'est à moi ces chiens-là.

— Vous êtes prisonniers avec la bonne grand-mère.

La bonne grand-mère sautait et disputait; pas de *sautage* puis de *disputage*, ils les *embarquent*, puis *en* bas à la prison.

La princesse entend dire ça, que la grand-mère et Tit-Jean étaient en prison. Voilà la peine qui la prend, et elle se met à pleurer. Pleure et puis pleure, toujours ils vont dire ça au roi:

— Vous êtes assez de monde pour la consoler.

— On essaie, mais on est pas capable.

— Allez-y, puis essayez de la *reconsoler*.

Ils y retournent encore, ils essayaient de la *reconsoler;* pas de *reconsolage*, ils la *rempiraient*. Ils vont dire ça au roi.

— Dites-lui qu'elle vienne ici.

Ils vont lui dire:

— Le roi vous fait demander d'aller là, toute seule.

Elle part et y va.

— As-tu fait un *faux serment*?

— Oui, j'ai fait un *faux serment*.

— Va-t'en, *prends du plaisir,* je vais arranger cela, moi.

Là, il fait atteler ses quatre plus beaux chevaux sur le plus beau carrosse, puis il fait apporter des habits de prince et de reine et dit:

— Allez les chercher, Tit-Jean et la grand-mère.

"*Ils y retournent encore, ils essayaient de la* reconsoler; *pas de* reconsolage, *ils la* rempiraient."

Ça fait qu'il vont chercher Tit-Jean puis la grand-mère. Il fallait prendre un repas ensuite. Ils prennent le repas au château, toutes les portes étaient *barrées*. Il y avait des officiers dans toutes les portes et tous les *châssis* pour que personne sorte. Ça fait que toujours au *souper*, Charbonnier, le marié, dit qu'il voulait *aller à l'eau*. Le roi dit:

— Va dans les *pots*, il y en a dans toutes les chambres, personne doit sortir.

Après *souper*, fallait conter une histoire. Le roi *calle* Tit-Jean qui dit:

— Ce serait pas à moi de conter l'histoire le premier, ce serait à vous, le roi, ce serait plus poli.

Le roi conte son histoire, il avait une belle histoire. Il demande encore Tit-Jean.

— Ce serait pas à moi à conter mon histoire, ce serait au marié.

Le marié, Charbonnier, conte son histoire, comment il s'y était pris pour tuer la bête à sept têtes; mais ça *minait* pas et dit:

— Et pour preuve, j'ai les sept têtes.

Il prend les sept têtes, puis les jette sur la table. Le roi dit:

— Ah! oui, c'est bien probable que c'est vous qui a (avez) tué la bête à sept têtes.

Puis il *recalle* Tit-Jean.

— Dien moi, mon histoire, c'est pas tout à fait pareil à ça.

(Là, il raconte son histoire, comment il avait tué la bête à sept têtes avec ses chiens, et il finit en disant:)

— Regardez dans les sept têtes, voir si les sept langues y sont. Tiens, regardez, ie les jette sur la table. Belle princesse, est-ce vos mouchoirs et puis vos joncs?

— Oui.

Alors le roi dit à ses valets:

— Allez me faire une cage de bois *pas mal* haute.

Quand cela a été prêt, Tit-Jean s'est marié, puis ils ont mis Charbonnier dans la cage de bois, puis ils ont mis le feu en dessous, et ils m'ont renvoyé vous conter ça.

35

II

JACK DE BOIS

Dans le folklore international, "Jack de Bois" se nomme "Jean de l'Ours" (1), et c'est un colosse d'une force extraordinaire, né d'un ours et d'une femme. Isaïe Jolin nomme son gaillard "Jack de Bois", parce qu'il est né d'un tronc d'arbre. Un homme et une femme, découragés de ne pouvoir avoir un enfant, décident de s'en faire un à partir d'un arbre. Le père prie pendant quinze jours au pied de l'arbre et celui-ci se met à grouiller. Quinze autres jours de prières feront que l'arbre se transformera finalement en enfant.

Pour donner plus de corps à son récit, notre conteur fait ensuite accomplir à ce jeune homme des tâches extraordinaires empruntées à un autre conte de la littérature orale (2), et dont certains motifs ne sont pas sans nous rappeler des exploits attribués à Hercule et Gargantua.

Le principal épisode du conte de "Jack de Bois" est celui de la mise à mort de "Six-Pouces", un petit personnage malicieux, qui "pisse" dans la *soupe* de ses ennemis et qui détient trois princesses dans un souterrain. Pour ce faire, Jack de Bois sera aidé de deux autres colosses, "Tord Chaîne", qui tord facilement des chaînes en fer, et "Branle-Montagne, qui *branle* les montagnes pour les aplanir.

L'atmosphère qui se dégage de ce récit populaire rappelle à plusieurs points de vue la mentalité des *Jack de Bois canadiens.*

Ce conte humoristique qui associe les plaisanteries scatologiques (les excréments humains) aux propos grivois (six *pouces* de longueur et qui *pisse*) n'est pas sans rappeler les excès de langage "entre hommes de *chantiers*". Ne dit-on pas de quelqu'un qui tient des propos de grasse littérature qu'il

---

1. Aarne-Thompson, c-type 301 B. Ce conte très répandu dans le monde existe en 48 versions cataloguées aux A.F., U.L.
2. Aarne-Thompson, c-type 650. "Jean le fort". 28 versions cataloguées aux A.F., U.L.

parle comme un *gars* de *chantier*?

Jack de Bois mange des *beans* et de la *soupe aux pois*, nourriture des bûcherons et des draveurs.

L'ambiance en est une d'orgueil. Les démonstrations de forces physiques et les bravades y sont présentes, comme elles existaient en réalité dans la mentalité des bûcherons de *chantiers* de l'époque.

 e vais vous conter, vous raconter, tant de vérités, tant de menteries, plus je mens, plus je veux mentir.

Une fois, c'était un homme et une femme, et ils savaient pas comment s'y prendre pour faire des enfants. Elle se met à dire:

— Va prier le bon Dieu au bout de la bûche de bois qu'il y a là, et tu vas en avoir des enfants.

Il se met à prier le bon Dieu au bout de la bûche de bois. Au bout de quinze jours, voilà la bûche de bois qui se met à grouiller. Il priait encore le bon Dieu pour que ça *rachève*. Voilà Jack de Bois en vie, *pareil comme* nous autres. Il mangeait, il était gros. Le bonhomme dit:

— Ah! Jack de Bois, je pourrai pas fournir à te nourrir, tu vas me ruiner. Tu vas t'en aller.

Il l'envoie. Il part et s'en va chez le roi pour avoir de l'ouvrage. Le roi était pour avoir une guerre. Il dit:

— Es-tu bon pour aller en avant à la guerre, toi?

— Ah! oui.

— Qu'est-ce qu'il te faut?

— Il me faut trois poches de pois et trois poches de *beans*.

Tout d'un coup, la guerre éclate. Il y avait une armée qui s'en venait attaquer le roi. Il dit à Jack de Bois:

— Va au devant de l'armée, là.

— Oui.

En s'en allant, il mange une *pochetée* de pois. Tout d'un coup, il aperçoit l'armée. Il se revire le derrière vers l'armée, puis il te lâche ça (les pois). Quand il a vu qu'ils étaient tous morts, il avance, en continuant son chemin.

"*Il se met à prier le bon Dieu au bout de la bûche de bois. Au bout de quinze jours, voilà la bûche qui se met à grouiller.*"

Tout d'un coup, il aperçoit une autre armée. Il avait encore mangé une *pochetée* de *beans*. Quand il a vu que c'était le temps, il se revire le derrière vers eux autres, et tire encore ses *beans* sur cette armée-là.

Il marchait toujours, et quand il redoutait une armée, il mangeait une *pochetée* de pois ou de *beans* en s'en allant. Il se revirait le derrière et les tuait. Le dernier coup, il se rend loin, mais il en rencontrait plus. Là, il revire, puis il s'en revient. Il dit au roi:
— J'ai gagné, j'en ai pas revu. Qu'est-ce que tu vas me donner à faire?

Il avait du grain à battre quand venait l'automne, et le roi engageait toujours deux hommes pour battre son grain. Ça prenait tout l'hiver pour battre son grain. Le roi avait un fléau et Jack de Bois dit:
— Ça, ce fléau-là, c'est bon à rien. Je vais m'en faire un fléau.
Il va chercher une bûche, grosse de même, pour faire la *batte*, puis le manche du fléau un peu moins gros. Il arrive avec ça. Dans sa journée, il bat tout le grain du roi. Il va chercher le roi.
— Tu as fini! Mais ça prend tout l'hiver pour faire ça.
— Venez voir s'il y a de l'avoine dans la paille!

Le roi part et fouille dans la paille, il y avait pas un brin d'avoine dedans. Le roi va voir dans la *batterie*, il y avait un tas d'avoine.
— Ah! tu vas me ruiner toi, certain que tu vas me ruiner.
— Ah! non. Donnez-moi de l'ouvrage. Je vais la faire votre ouvrage.
— J'ai un puits à creuser, tu vas le creuser.
— Ah! oui.

Il lui donne un pic et une pelle.
— A quoi c'est bon cette pelle-là? C'est bon à rien.
Il va chercher un *scrapeur* et il met un manche là-dessus, et se met à pelleter, monsieur. Dans le temps de le dire, il était rendu à une douzaine de

pieds. Le valet du roi part et va voir ça. Il était déjà rendu creux dans la terre. Il dit au roi:

— Regardez il achève de creuser.

— On va le tuer.

Il y avait une vieille *moulange*. Tu connais ça une *moulange*? Il y a un trou dans le *mitan*. Le roi dit:

— On va le tuer. On va lui envoyer la *moulange* sur le dos.

Ils *mouvent* la *moulange* à plusieurs hommes, et ils lui envoient ça sur le dos. Ça *adonne* bien, le trou lui passe sur la tête et la *moulange* reste prise là.

— Ah! depuis longtemps je n'ai pas eu de col, j'en ai un 'là.

Il saute sur le bord du trou en secouant le moulin. Le roi trouve ça effrayant.

— Jack de Bois, tu vas t'en aller, tu vas me ruiner.

— Non, je m'en vais pas, je vais en faire de l'ouvrage, vous allez m'en donner.

— Ah! Va-t'en, va-t'en!

— Qu'est-ce que tu veux avoir?

— Je veux un anneau qui pèse cinq cents *livres*, puis une *batte* et un autre morceau de fer qui en pèse autant chacun; en tout, mille cinq cents *livres*.

Il virait ça au bout de son doigt. Le roi, écoute un peu, il avait les yeux ronds, il était surpris. Toujours, il part et s'en va. Le long de son chemin, il rencontre un homme qui *était dans les chaînes*. Il tordait les chaînes. Jack de Bois dit:

— Qu'est-ce que tu fais là, toi? *Es*-tu *bon homme*, toi?

— Oui, je *suis bon homme*.

— On *serait* deux *bons hommes* nous autres, on aurait pas peur.

Ils partent, et ils rencontrent encore un autre homme. Il *branlait* une

42

montagne celui-là. Jack de Bois dit:

— Qu'est-ce que tu fais là?

— Je *branle* la montagne pour la mettre *planche.*

— Ah! tu *es bon homme* de même.

— Oui.

— On *ferait* trois *bons hommes* de même, on va faire route ensemble.

Ils partent. Marchent, puis marchent. Ils arrivent à une grosse maison, et Jack de Bois dit:

— On va rester ici.

— Oui, oui.

Il dit à Tord-Chaîne:

— Tu vas rester ici et nous faire de la *soupe.* Branle-Montagne et moi, on va aller couper du bois.

— Oui.

Ça fait que Tord-Chaîne avait fait de la *belle soupe.* Rendu à dix heures, elle était jaune et belle. Tout d'un coup, il *mouillait* dans sa soupe et il faisait beau soleil. Il se dit: "Qu'est-ce que ça veut dire, il fait beau soleil et il *mouille* dans ma *soupe*"?

Il sort dehors et aperçoit un homme de six *pouces* (de hauteur) sur la maison.

— Qu'est-ce que tu fais là?

— Je pisse dans ta *soupe.*

— Descends de là, tu vas voir que tu pisseras pas longtemps.

Six-Pouces descend et *maudit une volée* à Tord-Chaîne, que la moitié en était de trop! Sa *soupe* brûle. Puis Branle-Montagne et Jack de Bois arrivent et disent:

43

— As-tu fait de la *soupe*?

— Parlez-moi-s'en pas, je suis parti pour aller chercher de l'eau, je me suis frappé la tête sur une roche, et je me suis brisé la tête. Puis j'ai brûlé ma *soupe*.

Le lendemain matin, Jack de Bois dit à Branle-Montagne:

— Tu vas en faire de la *soupe*, toi!

Il reste et fait de la *soupe*. Vers dix heures, il avait encore de la *belle soupe*. Elle était jaune comme de l'or. Tout d'un coup, il se met à *mouiller* dans sa *soupe*. Il se dit: "Qu'est-ce que ça veut dire, il fait beau soleil et il *mouille* dans ma *soupe*"?

Il sort dehors, et il aperçoit Six-Pouces qui était là encore.

— Qu'est-ce que tu fais là?

— Je pisse dans ta *soupe*.

— Descends de là et viens ici, je vais te *fesser* sur la *gueule*.

Six-Pouces descend et *maudit une volée* à Branle-Montagne. Tord-Chaîne savait tout ça. Personne parle. Ils arrivent pour *dîner* et Jack de Bois dit:

— Branle-Montagne as-tu fait de la *soupe* pour *dîner*?

— Parlez-moi-s'en pas, j'ai fait comme Tord-Chaîne, j'ai été à la source, et je me suis accroché les *pattes*. J'ai tombé sur une roche et je me suis brisé la face.

— Oui, bien demain, c'est moi qui vais faire de la *soupe*.

Le lendemain matin, Branle-Montagne et Tord-Chaîne se disaient ça en montant:

— Tu vas voir, s'il va en faire de la *soupe*. Il va en *manger une cuite* lui aussi, il va en *manger une*.

Toujours, voilà dix heures arrivées. Il avait de la *belle soupe*, mais il se met à *mouiller* dans sa *soupe*. Il se dit: "Qu'est-ce que ça veut dire qu'il *mouille* dans ma *soupe* et qu'il fait beau soleil"?

Il sort dehors et aperçoit Six-Pouces.

— Qu'est-ce que tu fais là, toi?

— Je pisse dans ta *soupe*.

— Descends vite toi, tu as pissé dans la *soupe* des *gars*, mais tu pisseras pas dans la mienne.

Toujours avec sa canne, il frappe Six-Pouces sur la tête. Il l'*écrapoutit* là. Six-Pouces se relève et s'en va par *chez eux*. Il *restait* pas loin. Il y avait un trou dans la terre, et Jack de Bois voyait où il avait *calé* dans la terre. Toujours que les deux autres arrivent.

— Regardez comme j'ai de la *belle soupe*. Vous autres, vous avez pas eu de la *belle soupe*, c'est Six-Pouces qui vous a donné la *volée*.

— Ah! oui, mais on était pas capable de faire autrement.

— On va aller voir, j'ai vu où il est entré.

Ils sont partis et sont allés voir. C'était un gros trou dans la terre. Comment s'y prendre pour entrer là? Toujours, ils se font un rouleau, puis ils *amanchent* un câble et ils descendent Jack de Bois avec sa grosse canne de mille cinq cents *livres*. Lui qui était gros d'avance! Il voyageait dans le souterrain, dans la terre. Il y avait des animaux, puis des oiseaux, toutes sortes de choses là-dedans. Toujours, il voit une porte, sonne à la porte. Ce qu'il voit: une belle princesse; et elle dit:

— Allez-vous-en, moi je suis gardée par Six-Pouces, puis son père et sa mère, et ils sont sept fois *encore mieux* que Six-Pouces.

— Six-Pouces à quoi c'est bon ça? C'est bon à rien.

— Vous pouvez vous en aller, parce que vous allez vous faire tuer, ça c'est certain.

Il se met à voyager dans le souterrain; Six-Pouces le voit et il dit à son père puis à sa mère:

— Voilà Jack de Bois.

Il prend encore sa canne et tue Six-Pouces Le bonhomme s'en aperçoit et dit:

— Tu vas voir que tu auras pas affaire à mon garçon.

— Ah! toi comme les autres.

Le bonhomme veut avancer. Il prend sa canne et lui rabat sur la tête, puis il tue encore le bonhomme. La bonnefemme s'en aperçoit et dit:

— J'ai bien plus de capacité qu'eux autres; tu as tué mon mari, puis mon enfant, c'est à moi que tu vas avoir affaire.

— Tu vas mourir comme les autres.

Il la voit avancer, il la tue encore à coup de canne. Ah! là il va voir ses filles ensuite. Il avait vu trois filles. Elles disent:

— Allez-vous-en, nous sommes gardées par le père de Six-Pouces.

— Je viens de le tuer.

— Ah! bien, avez-vous tué Six-Pouces, le bonhomme et la bonnefemme?

— Ah! oui.

— Bien, tout ça vous appartient.

— Moi, je *resterai* pas ici. Je vais monter sur la terre. Ici, c'est rien dessous la terre. Comment vais-je m'y prendre pour vous monter?

Toujours, il en attache une par-dessous les bras, il donne un coup sur le câble, et ils la montent. Il y avait Tord-Chaîne et Branle-Montagne qui regardaient. Là, ils l'aperçoivent comme il faut. Ils se battaient pour l'avoir. La princesse dit:

— Dites donc rien, il y en a une bien plus belle en bas.

Puis ils la détachent vitement et renvoient le câble. Là, Jack de Bois en rattache une autre, pas la plus belle, l'autre. Toujours, ils guettaient encore. Là, ils se battaient pour avoir celle-là. La princesse dit:

— Dites donc rien, il y en a une bien plus belle en bas.

Ils renvoient le câble, là il attache la dernière. Puis ils guettaient pour voir si elle était plus belle que l'autre. Ils la trouvaient encore bien plus belle et elle l'était aussi. Ils se battaient encore pour l'avoir.

— Dites donc rien, il y en a une bien plus belle encore.

L'autre c'était Jack de Bois.

Ils envoient le câble. Ils trouvaient que c'était pesant cette fois-là. Quand ils ont vu comme il faut que c'était Jack de Bois, ils lâchent le câble. Jack de Bois *manque de se tuer*. Il se dit:"Ah! comment m'y prendre pour monter? Ils ont tout lâché, et le câble aussi". Il pouvait plus monter. Il voyageait dans le souterrain. Ce qu'il voit, un gros aigle.

— Aie! viens ici un peu, toi. Es-tu capable de me monter sur la terre là-bas?

— Si tu me donnais à manger à mon besoin. Oui, je suis capable de te monter.

— Qu'est-ce qu'il te faut?

— Il me faut sept quartiers de boeuf.

Il y avait des animaux là, il *tue pour* sept quartiers de boeuf et dit:

— Montons.

Il attache les sept quartiers de boeuf.

— Es-tu prêt?

— Oui, j'ai faim.

Il lui donne un quartier de boeuf.

— J'ai faim.

Il lui donne un autre quartier de boeuf.

— J'ai faim.

Il lui donne un autre quartier de boeuf. Au septième, il était pas encore rendu en haut. Bien, il dit:

— J'en ai plus.

— Je te lâche en bas.

L'aigle descend avec lui. Il dit:

— Il m'en faudrait quatorze quartiers, autrement j'arrive pas en haut.

47

Il *tue* des animaux *pour* avoir quatorze quartiers de boeufs. Il attache tout ça et dit:
— Es-tu prêt là?
— Oui, j'ai faim.
   Il lui donne un quartier.
— J'ai faim.
   Il lui donne un autre quartier.
— J'ai faim.
   Il lui donne un autre quartier. Toujours, il les lui donne tous. Il était quasiment près d'arriver en haut. Il dit:
— J'en ai plus.
— Bien, je te lâche.

Jack de Bois se taille un morceau de viande sur une fesse, puis il lui donne ça toujours. Il le monte encore, il *rachève* de le monter.
— Ah! bien, maintenant, je suis chez nous, tu vas voir que les deux autres, ils vont *en prendre une* tantôt.

Il va trouver Branle-Montagne et Tord-Chaîne, et il leur rabat la canne sur la tête, puis les tue tous les deux.
— Vous avez voulu me faire mourir, vous autres, mais c'est vous autres qui allez mourir.

Il les a tués, puis je sais pas ce qu'il a fait avec les trois filles. Ils m'ont renvoyé te conter ça.

III

LE PETIT JACOB

"Le Petit Jacob" d'Isaïe Jolin est identifié sous le titre "le Chasseur adroit" dans la classification internationale du conte populaire (1). Bien qu'il figure dans la littérature orale d'Europe, d'Asie, d'Afrique et d'Amérique, ce conte est peu répandu.

Le petit Jacob est d'abord présenté en train de rentrer du bois de chauffage dans la maison avec ses petits frères. Ensuite, il s'en va chasser en forêt. Contrairement aux chasseurs des contes étrangers, Jacob ne reçoit pas son arme (une flèche) d'un autre chasseur, ou d'une vieille femme, mais c'est lui-même qui la façonnera. Il se servira ensuite de cette flèche pour piquer le nez de trois géants, et attirer ainsi leur attention. Ceux-ci l'hébergeront alors qu'il est perdu en forêt, et ils lui ménageront une rencontre avec un ogre qu'eux-mêmes n'ont pu vaincre. Le petit Jacob tuera cet animal fantastique, et il délivrera une princesse prisonnière de l'ogre dans un souterrain. Finalement, le roi fera un prince de Jacob.

La mère de Jacob est décrite comme un être buté, qui ne comprend rien au monde merveilleux de son fils. De son côté, les enfants n'ont aucun respect pour leur mère.

Le bois est encore présent, les enfants rentrent le bois de chauffage, et ils se préparent à partir pour la chasse en forêt.

---

1. Aarne-Thompson, c-type 304. 31 versions sont cataloguées aux A.F., U.L.

ne bonne fois, je vais vous conter, vous raconter, tant de vérités, tant de menteries, plus je mens, plus je veux mentir.

C'était une femme qui avait trois garçons. Ils étaient dans le *bois*. Ils *faisaient* leur *bois* de chauffage à la hache, puis ils portaient ça à la brassée à la maison. Il y avait le petit Jacob. Lui, il était le plus jeune, il travaillait pas. Il se met en train de faire une petite flèche pour aller faire un tour à la chasse, alentour de ses petits frères. La bonnefemme, qui était *mauvaise* comme sept diables, part, et y va. Elle dit:

— Qu'est-ce que tu fais là?

— Maman, je me fais une petite flèche pour aller chasser autour de mes petits frères. Je vais toujours les voir, je *m'écarterai* pas.

— Oui, tu vas *t'écarter*!

— Ah! non, je vais toujours les voir.

— Fais-la, mais *écarte*-toi pas!

— Ah! non.

Il fait sa petite flèche, puis le lendemain matin, il part avec ses petits frères. Il faisait le tour de ses petits frères. Tout d'un coup, il s'éloigne un peu, puis il *s'écarte*, il *prend le large*. Quand ça vient sur le soir, il savait pas quel *bord* prendre pour s'en aller *chez eux*. Il monte dans un arbre. Il pensait voir la lumière (de la maison) de sa mère, en montant dans l'arbre. Tout d'un coup, il voit une lumière. Il part par là. Il arrive, c'était une grosse maison, puis les marches de l'escalier étaient à sa hauteur. Toujours, il vient à bout de monter sur la *galerie*. C'était trois géants, trois voleurs, puis ils comptaient leur argent et disaient:

— Voilà le tien, voilà le mien, voilà le sien.

Jacob disait:

— *Rouvrez*-moi la porte! J'ai froid, c'est *comprenable* ça, comprenez-moi!

— Voilà le tien, voilà le mien, voilà le sien.

— *Rouvrez*-moi la porte! J'ai froid, c'est *comprenable* ça, vous comprenez pas!
— Voilà le tien, voilà le mien, voilà le sien.

Toujours, il prend sa petite flèche, et il la tire dans le nez d'un géant. Ah! bien, il lève dessus sa chaise. Et ce géant-là dit:
— Vous avez pas besoin de me *fesser*, je vous ai pas fait mal personne.
— Voilà le tien, voilà le mien, voilà le sien.
— *Rouvrez*-moi la porte! J'ai froid.

Il prend sa petite flèche, et tire le deuxième géant dans le nez. *Maudit*, il lève encore:
— Tu as pas besoin de me *fesser*, on t'a pas touché!
— *Rouvrez*-moi la porte! J'ai froid, bien oui, comprenez-moi!
— Voilà le tien, voilà le mien, voilà le sien.

Il prend sa petite flèche, puis tire le troisième géant. Il le frappe encore dans le nez:
— Il y a quelque chose ici, on a pas l'habitude de se battre nous autres ici, on s'est jamais battu.

Il ouvre la porte. Ce qu'il aperçoit, Jacob.
— Tiens, bonjour Jacob.
— Bonjour.
— Veux-tu entrer?
— Ça fait assez longtemps que je vous dis que j'ai froid.
— Entre, mets-toi près du poêle.

Il entre, se met près du poêle. Ça fait qu'il y a un géant qui demande:
— As-tu *soupé*?
— Ah! non.

Il y a un gros géant qui dit à un autre géant:

— Fais-lui donc des crêpes.

La crêpe, c'était grand de même, puis il en fait un tas gros de même. Avec ça, ça va *souper*. Toujours, la table était juste à sa hauteur. Un géant qui dit:

— Jacob, va *souper*.

— Vous voyez bien que je suis pas capable de monter sur la table, moi.

Il y en a un qui le prend sur le bout des doigts, et le met sur la table.

— Tiens, mange.

Il en prend grand comme sa main, puis il en avait assez.

— Voyons, Jacob, mange.

— Vous voyez bien que je suis pas de votre grosseur pour manger tant que ça. J'ai fini.

— Mange.

Il y en a un qui dit à l'autre:

— Tu vois bien que ça va être gaspillé ça, mange-le donc, toi.

Jacob était assis sur la table. Le géant part puis mange tout ça d'une poignée. Là, Jacob était pas gros quand il lui a vu ouvrir la *gueule*, puis avaler tant de crêpes d'un coup.

Quand il vient vers neuf heures, il y avait qu'un lit pour coucher les quatre. Ils couchent un chaque bord du lit, puis ils mettent Jacob au *mitan*. L'autre géant couche sur le *joint* (par-dessus les deux premiers géants). Le lendemain matin, celui-là sur le *joint* se lève, puis ceux-là sur le bord aussi. Jacob avait gardé son *butin*, il avait tout son *butin*. Il avait peur.

— Jacob, as-tu eu froid?

— Regardez-moi pas, mon *butin* est tout *trempe*. J'ai été assez bien, cette nuit, j'ai pas eu froid du tout.

— Ah! Je suis bien content, tu as pas eu froid.

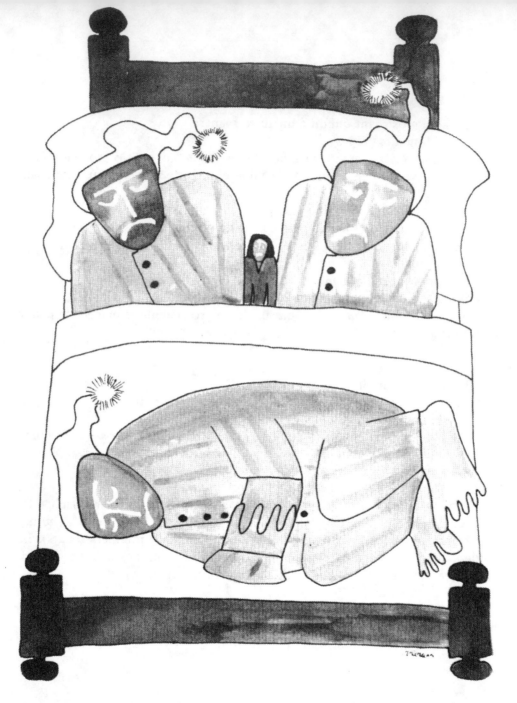

"*Ils couchent un chaque bord du lit, puis ils mettent Jacob au mitan. L'autre géant couche sur le joint.*"

Il *déjeune*. Après, ils disent:

— Jacob, es-tu bon tireur, toi?

Il se met à rire.

— Moi, vous m'avez pas vu hier soir, je vous ai tiré dans le nez tous les trois.

— Oui, on va t'essayer ce matin. Viens avec nous autres.

Ils descendent dans la cave. C'était rien que des carabines. Ils lui en donnent une qu'il était pas capable de tenir; il était trop petit. Elle tombe à terre.

— Voyons, jette-la pas à terre!

— Voyons, vous voyez bien que c'est pas pour moi ça; c'est trop pesant pour moi.

Ils lui donnent une petite *quarante-quatre*.

— Avec ça, moi je vais tirer.

Il y en a un qui dit:

— Va lui faire un petit *blanc* sur le gros merisier.

C'était à peu près à un *arpent*. Il tire droit là, au *milan* du *blanc*.

— Ah! bien, tu es bon Jacob! Ici, il y a une bête qui sort d'un trou dans la terre; elle a une petite tache blanche dans le front, comme dans le *blanc* où tu as tiré. Si tu tires à côté, on se fait tous dévorer. C'est sa vie qui est dans cette petite tache blanche-là.

— Je vous ai tiré dans le nez, puis dans le petit *blanc* là, je suis encore capable de tirer dans le petit *blanc* de la bête.

Ils vont lui montrer où la bête sortait, à neuf heures. Il recule à peu près à un *arpent*, et eux autres reculent à trois *arpents*. Il essaie de viser. La terre tremblait.

— Bande de grosses *chiennes*, arrêter de trembler, je suis pas capable de tirer.

Ils tremblaient assez, qu'ils faisaient trembler la terre à leur trois. Toujours, ils arrêtent de trembler. Tout d'un coup, la bête sort. Il voit sortir

55

la tête puis il aperçoit la petite tache blanche comme il faut. Il se met là, puis *bagne!* Il la tue. Elle tombe raide. Il part à courir, puis saute dessus.

— Viens-t'en Jacob, viens-t'en Jacob, tu vas te faire dévorer.

— Vous voyez bien qu'elle est morte, je saute dessus.

— Oui, on voit bien qu'elle est morte. A cette heure, il faudrait bien descendre dans ce trou-là. Comment s'y prendre?

— C'est pas difficile de descendre dans ce trou-là. J'ai vu du câble *en masse* dans votre cave. Allez m'en quérir un rouleau, puis on va descendre.

Il reste avec les deux autres géants, puis il faisait un rouleau pour mettre le câble dessus. Quand le câble arrive, le rouleau était prêt. Il roule le câble. Un des géants dit:

— Qui va descendre le premier?

Jacob dit:

— Ça va être un de vous autres, *manquable?*

— Si c'était toi, ce serait pas dangereux. Tu serais pas pesant sur le câble. On te monterait bien mieux que tu vas nous monter, toi.

— Ah! Je m'en *foute* bien.

Toujours qu'il attache Jacob autour du câble, puis ils le descendent. Il arrive en bas, il faisait noir. Au bout de quelques minutes, il faisait aussi clair que dans le jour. Il se met à regarder. C'était seulement que des épées puis des sabres qu'il y avait tout le tour de la bâtisse. Il en prend une dans ses mains, et il passe les doigts dessus. Ça coupait bien! Il se dit: "Si je m'échafaudais, je couperais bien le cou des géants. Je viendrais peut-être riche".

Toujours, il s'échafaude. Quand il a été échafaudé, il donne un coup sur le câble, puis il y a un géant qui s'attache et descend bien tranquillement. Quand il a été à sa portée, il lui *maudit un coup* de sabre sur le cou. Il coupe le cou net.

Alors, il donne un autre coup sur le câble, un autre géant qui descend.

Quand il a été à sa portée, donne encore un coup sur le cou. Il le tue net.

Jacob donne encore un coup sur le câble. Le troisième géant descend avec le rouleau dans la figure, puis il descendait tranquillement. Quand il a été à sa portée, il lui coupe le cou bien net. Jacob se dit: "Ah! maintenant je vais être bien riche, ce château-là va être à moi, à cette heure".

Toujours, il se met à regarder ces couteaux-là, les sabres puis les épées. Quand il a été *tanné*, il se met à regarder, et il aperçoit une porte. Il ouvre la porte, c'était rien que des *musiques*, des pianos et des harmoniums. Il *s'assit* sur le petit banc, puis il *s'adonne* à se mettre les pieds sur les *palettes*, puis les doigts sur les *lames*. Ça se met à jouer. Là, il joue longtemps là-dessus. Il trouvait ça beau, tu sais. Quand il a été *tanné*, il voit encore une porte, il se dit: "Peut-être qu'il y a encore autres choses là-dedans"?

Il ouvre la porte, il voyait rien. Il avance un peu, il voyait rien. Il fait encore un petit bout. Il aperçoit une fille couchée dans le lit. Il part aussi vite qu'il peut courir, et il saute sur le lit et se met à l'embrasser. Embrasse, puis embrasse. Elle *grouillait* pas. Il dit: "Pour moi, elle est morte". La bête l'endormait pour vingt-quatre heures quand elle sortait.

La peur le prend, il monte en haut, puis il s'en va *chez eux*. Il arrive *chez eux* de bonne heure dans la journée. Ses petits frères étaient en train de *faire du bois* de chauffage. Il conte tout ça à ses petits frères. Il dit:
— Si vous voulez dire comme moi, on se prendrait un traîneau, puis on amènerait la bonnefemme avec nous autres. On l'attacherait et on l'amènerait.
— Oui, mais elle va *japper*, elle va *japper* de nous voir faire.
— On dira que c'est pour charroyer notre *bois*.

Ils se mettent à travailler le traîneau. La bonnefemme s'en aperçoit.
— C'est pas le temps de jouer là, c'est le temps de travailler et de *faire du bois*.
— Oui, mais savez-vous que ça fait longtemps qu'on charroie le bois à brassée. On se fait un traîneau pour le charroyer.

— Ah! ça a bien du bon sens, faites-le votre traîneau.

Ils font leur traîneau. Là, ils guettent la bonnefemme le lendemain matin. Ils l'attachent avec une corde sur le traîneau, puis ils partent avec elle, pas de *badrage*, et marche.

Durant ce temps-là, la princesse s'était en allée *chez eux*. Le roi savait pas comment, ni par qui, elle avait été délivrée. Il avait fait venir tout le monde du pays, et avait donné un repas afin que tout le monde du pays conte une histoire. Tout le monde était passé, et eux autres ils arrivent (Jacob et sa famille). Le valet du roi dit:
— Il y en a quatre qui passent ici, qui sont pas venus manger.
— *Paroles de roi*, dis-leur qu'ils viennent manger comme les autres.
— Où allez-vous?
— On s'en va par là.
— Ici, il y a un repas pour tout le monde, venez prendre votre repas *pareil comme* les autres.

Ils partent puis ils y vont. Après le repas, il fallait conter une histoire. La bonnefemme dit:
— Ah! on en sait pas d'histoires.
Le roi dit:
— Vous devez savoir quelque chose, vous êtes en vie.

Toujours, elle conte son histoire, qu'ils étaient dans le *bois*, qu'ils coupaient leur *bois* à la hache et charroyaient ça à la brassée.
— Bien, c'en est une histoire.
Le roi nomme le plus vieux.
— C'est toute la même affaire qu'on sait nous autres.
Toujours, il conte une petite histoire, comme la bonnefemme, et le deuxième fait pareil. Ça vient au tour de Jacob. La bonnefemme dit:

— Lui, il en sait pas.

— Ah! oui maman, j'en sais une moi aussi, une petite histoire.

— Conte-la, ton histoire, mon petit garçon, dit le roi.

— Moi je travaillais pas, je suis trop jeune, puis je me faisais une petite flèche pour chasser alentour de mes petits frères. Puis ma mère qui est plus *mauvaise* que le diable a voulu m'en empêcher.

    (Il continue à raconter qu'il était allé à la chasse, qu'il avait rencontré les trois géants, et comment il avait délivré la princesse. Il termine en disant:)

— J'ai aperçu une fille qui était couchée, puis elle ressemblait à celle-là qui est là (en montrant la princesse).

Le roi dit:

— Vite, allez l'habiller en prince.

    Puis ils m'ont renvoyé te conter ça. Lui, j'ai pas été aux noces, il était trop jeune.

IV

LES SEPT PRINCES

Le conte qu'Isaïe Jolin désigne sous le titre "les Sept Princes" est un mélange des récits intitulés "le Berger et les Trois Géants" (1) et "la Fuite magique" (2). Des versions ont été retrouvées en Europe occidentale et au Canada français.

Tit-Jean et ses six frères sont fils de roi, et, pour se désennuyer, ils partent à la chasse. Tit-Jean est le plus intelligent de la famille, mais le roi prétend plutôt qu'il est *"à moitié fou"*. Ils reviennent de la chasse avec une bête inconnue que le roi met en cage. A la demande de cette bête fantastique, Tit-Jean la laisse échapper et, en retour, il reçoit la promesse de devenir invincible. Et c'est ainsi qu'armé d'objets magiques, il vaincra trois ogres et se méritera une princesse. Tit-Jean refuse cependant de l'épouser. Cette dernière décision est motivée par l'orgueil, puisque le roi lui donne, un peu à regret, sa fille en mariage.

La structure de ce conte est surtout mathématique, et c'est cet agencement ordonné qui permet à Isaïe Jolin d'en faire, sans trop s'égarer, le récit très complexe. L'analyse de ces procédés mnémotechniques nous fait retrouver les quatre principales clefs de cette structure qui s'applique autant aux épisodes (étapes) qu'aux motifs (scènes). Le premier procédé est celui de la répétition; le deuxième, de la progression en doublant (1, 2, 4 etc...) et en multipliant (1, 3, 9 etc...); le troisième consiste en la constance de certains traits des motifs; le quatrième et dernier procédé est celui d'un certain ordre logique, basé sur la réalité quotidienne.

Ainsi, le conteur répète trois fois la même scène, qui se développe différemment à chaque reprise. Il y a description de trois présentations du

1. Aarne-Thompson, c-type 317. 56 versions sont cataloguées aux A.F., U.L.
2. Aarne-Thompson, c-type 314 A. 9 versions sont cataloguées aux A.F., U.L.

héros à la princesse prisonnière, trois batailles, trois délivrances, etc...

Pour ce qui est du deuxième type de procédé de narration, qui est celui de la progression en doublant ou en multipliant, mentionnons que le premier château a sept portes, le deuxième quatorze et le troisième vingt et une. Le premier sabre pèse sept cents *livres*, le deuxième quatorze cents *livres*, et le troisième vingt et un cents *livres*. Tit-Jean, sur le champ de bataille, attend l'ogre pendant trois heures, puis pendant six heures lors de la deuxième bataille, et finalement pendant neuf heures lors de la dernière rencontre. Ils se battent pendant trois heures, six heures et douze heures. Le deuxième jour, l'aigle a trois fois plus de force, et le troisième jour, il a six fois plus de force, etc...

Le procédé mnémotechnique, par lequel on retrouve une constance dans certains traits des éléments, est aussi présent, par exemple, dans le choix énumératif des couleurs ou autres détails. Ainsi, il y a un cheval noir, un sabre noir et un habit noir; un cheval rouge, une selle rouge, un sabre rouge et un habit rouge; un cheval blanc, une bride blanche, une selle blanche, un sabre blanc et un habit blanc. De la même façon, dans les lieux fantastiques, Tit-Jean trouve des *piastres* qui sont d'abord en argent, puis en or, et finalement en diamant.

Un des procédés de narration, pour les besoins du développement logique du récit, consiste à calquer les incidents merveilleux sur la réalité terrestre. Ainsi, pour que l'aigle combattu puisse continuer à vivre, et permettre ainsi la suite du récit, Isaïe Jolin lui fait d'abord perdre une aile, puis une patte, et finalement la tête. Dans le même sens, le héros commence par manger des pommes merveilleuses (pour se nourrir), pour ensuite découvrir des *piastres* (pour s'enrichir), pour finalement *"sauter sur le bec"* (pour se divertir). Notons que Tit-Jean passe ses journées dans un monde merveilleux, mais qu'il les commence et les finit en *"montant"* et en *"descendant les vaches"*, une réalité quotidienne qui lui permet de gagner sa vie.

ne bonne fois, je vais vous conter, vous raconter, tant de vérités, tant de menteries, plus je mens, plus je veux mentir.

C'était un roi qui avait sept princes. Ils avaient jamais sorti de chez eux. Il y en a un qui se met à dire au roi:

— Vous, vous êtes pas comme les autres rois.

— Qu'est-ce qu'il y a, que je suis pas comme les autres rois?

— Bien, les autres rois, leurs enfants attellent les chevaux et *vont voir les filles*, ils vont faire des tours de voiture. Nous autres, on reste toujours dans la maison.

— Ah! mes princes, vous aimeriez pas ça, aller faire un tour dans la forêt?

Ah! ils disent oui.

— Je vais vous engager chacun sept chasseurs et puis on va *prendre le bois*.

— Ah! oui, ça on aimerait ça!

Comme de fait, il engage sept chasseurs pour chacun d'eux, et sept chasseurs pour lui-même. Avant de *prendre le bois*, il dit aux chasseurs:

— Si vous venez à rencontrer quelque bête que vous ne connaissez pas, entourez-la, gardez-la, puis *criez du porte-voix*, et on ira vers vous autres.

Ils avaient chacun un porte-voix. Ils prennent chacun leur *bord*, marchent et marchent. Vers midi, le roi rencontre une bête que ses chasseurs connaissaient pas.

— *Rentourons*-la et appelons les autres.

Ils se mettent à *crier* avec leur porte-voix. Il y en avait un, à peine qu'il entendait. Toujours ils arrivent tous.

— On l'a jamais connue cette bête-là, nous autres.

Il y a un chasseur qui se met à dire:

— On a un de nos frères qui est sept fois plus chasseur que nous autres, peut-être qu'il saurait le nom de la bête.

— *Paroles de roi*, on va le faire venir.

Ils amènent la bête au château, et puis ils la renferment. Le roi dit à ses princes:

— Celui-là qui ouvrira la porte de la bête, le lendemain matin il mourra à ma porte.

Le roi écrit à l'autre chasseur de venir voir quelle était cette bête, et qu'il le paierait, comme de raison. Vous avez entendu parler comment Tit-Jean est *senteux;* il part et va voir la bête. En ouvrant la porte:

— Tiens, bonjour Tit-Jean.

— Bonjour, belle bête. Comment, tu parles, toi?

— Ah! je parle *pareil comme* toi, ouvre-moi la porte.

— Ah! non, mon père le roi a dit que celui qui ouvrirait la porte serait mis à mort le lendemain matin.

— Ah! non, tu auras seulement qu'à penser à moi, et il te mettra pas à mort.

— Ah! non je la *rouvre* pas.

Toujours que l'autre chasseur s'en venait. Tit-Jean au bout d'une journée ou deux, il retourne encore voir la bête. En ouvrant la porte:

— Tiens, bonjour Tit-Jean.

— Tiens, bonjour belle bête.

— Ouvre-moi la porte Tit-Jean.

— Ah! non, mon père a dit que si l'on t'ouvrait la porte, il nous mettrait à mort le lendemain à sa porte. Je te l'ouvre pas certain.

— Tu auras seulement qu'à penser à moi, et il te mettra pas à mort, je serai à toi.

— Ah! non.

Comme de raison, l'autre chasseur marchait, il arrivait. Ça fait que toujours Tit-Jean, une dernière fois, va voir la bête avant que le chasseur arrive; il était pour arriver cette journée-là. Il part et va voir la bête.

— Bonjour Tit-Jean.

— Bonjour belle bête.

— Ouvre-moi la porte Tit-Jean .

— Ah! non, mon père a dit qu'il me mettrait à mort le lendemain matin si je t'ouvrais la porte.

— Il te mettra pas à mort, tu auras seulement qu'à penser à moi, et je serai à toi. Ouvre-moi la porte.

Il lui ouvre la porte, ça *prend le large* cette bête-là. L'autre chasseur arrive, il voulait aller voir la bête tout de suite. Le roi dit:

— Tu as le temps, on a une journée pour regarder la bête. Repose-toi, tu es fatigué. On va *dîner*, tu vas te reposer une *secousse*, après on va passer par là.

Sur la voix du roi, il faut passer par là. Après *dîner*, il dit:

— Sire mon roi, j'ai hâte de voir la bête!

— Ah! bien si tu as si hâte que ça, on va aller la voir.

Ils arrivent, la porte était ouverte.

— Ah! il y a pas d'autre que mon *fou* pour avoir ouvert la porte. Demain matin, il va mourir à ma porte.

Dans la journée on ne parlait que de ça. Le valet du roi dit:

— Savez-vous, sire mon roi, que c'est pas pratique ça, de faire mourir votre enfant pour l'amour d'une bête.

— Qu'est-ce que tu ferais, toi?

— J'engagerais des chasseurs, puis je l'enverrais *écarter* dans le *bois*. Il reviendrait plus par ici. Il ne serait certainement pas dit que je le ferais mourir à ma porte.

— C'est bien vrai, beau valet.

Le lendemain matin, le roi engage des chasseurs et l'envoie *écarter*.

" — Bonjour Tit-Jean.
— Bonjour belle bête.
— Ouvre-moi la porte Tit-Jean."

— Emmenez-le aussi loin que vous allez être capable. Laissez-le pas tant qu'il dormira pas, faut pas qu'il sache quel *bord* vous avez pris.

Ils prennent Tit-Jean, et le font *courir dans le bois* toute la journée. Tit-Jean était assez fatigué qu'il *écrasait* malgré lui. Il *s'assit* sur un petit *corps mort*, et il s'endort. Quand ils ont vu qu'il dormait, ils *prennent le bois* et s'en vont. Il se réveille le lendemain matin. Il se met à regarder chaque bord de lui pour voir s'il y avait pas quelqu'un. Ils étaient tous partis.
— Ah! oui, je me trouve seul.

Il avait faim, il avait couru toute la journée sans manger. Il grattait dans la terre puis il trouvait des petites racines molles et les mangeait. Il mange ainsi trois, quatre jours, et puis il pense à sa bête.
— C'est pour l'amour d'une bête que je suis ici aujourd'hui.
En disant ça, la bête arrive.
— Je te l'avais dit de penser à moi. Si tu avais pensé à moi tout de suite, tu aurais pas été trois, quatre jours dans le *bois*. *Embarque*-moi sur le dos.

Tit-Jean *embarque* sur le dos, et la bête va le mener tout droit à la porte du roi, mais elle était restée dans le bord du *bois* pour ne pas se montrer, là elle dit:
— Va cogner à la porte du coin, et demande de l'ouvrage au roi, et il va t'en donner.

Comme de fait, il arrive à la porte du roi et cogne. Le valet du roi qui va lui ouvrir:
— Qu'est-ce que vous voulez?
— Je cherche de l'ouvrage, mais je veux d'abord parler au roi.
— Je vais lui dire.
Il part et va dire ça au roi.
— Il y a un homme à la porte qui voudrait vous parler.

— Dis-lui qu'il vienne.

Il va chercher Tit-Jean.

— Bonjour, sire mon roi.

— Bonjour.

Il savait comment s'annoncer à un roi, lui, c'est ce qu'il savait faire le plus.

— Je me cherche de l'ouvrage, mon roi, puis-je en avoir ici?

— Oui, pour mener les vaches matin et soir au clos. C'est tout ce que tu auras à faire.

— Je suis bien content d'avoir de l'ouvrage ici.

Il menait ses vaches matin et soir, et soir et matin. Ça faisait trois semaines, un mois, qu'il faisait ça. Qu'est-ce qu'il fait rencontre sur son chemin? Sa bête.

— Bonjour Tit-Jean, comment ça va?

— Bonjour belle bête. Ah! ça va bien. Mon ouvrage c'est de mettre les vaches soir et matin au clos.

— Vois-tu les portes noires qu'il y a là?

— Oui.

— Bien, mets tes vaches en arrière de ça, tu vas avoir de l'herbe *en masse*. Quand tu passeras devant le château, ça c'est gardé par un géant. Il a sept *pieds* entre les deux yeux.

— Ah! *c'est à croire*, ce doit être gros ça!

— Ah! oui c'est gros, passe sur le bout des pieds, puis réveille-le pas, il va te dévorer. Je vais te donner cette petite canne de fer, avec ça, il y *a rien à ton épreuve*. Tu monteras dans le pommier le plus haut, puis il va se réveiller quand tu monteras. Il va te dire de descendre, mais descends pas. Il va dire: "Descends que je te dévore". Tu vas répondre: "Monte, toi, si tu dévores si bien". Il va te demander qui t'a envoyé dans le pommier. Tu diras que c'est toi, que tu as vu le verger de pommes, et que tu es venu en manger. Lui, il va essayer de monter, donne-lui un coup de canne et tu vas le tuer.

68

— Ah! oui.

Le lendemain matin, il met ses vaches en arrière du château et s'en vient pour passer là. Rendu près de la barrière, il aperçoit le géant; il avait sept *pieds* entre les deux yeux. Je vous garantis qu'il avait une tête! Il avançait de quelques pas et en reculait aussi, il la craignait. Il se dit: "La bête m'a dit de passer, je passe". Il passe sur le bout des pieds et s'en va au pommier le plus haut. Quand il eut monté aux trois quarts du pommier, il s'est mis à *glissailler*, puis à *bordasser*. Le géant s'est réveillé. En apercevant Tit-Jean, du premier saut, il saute droit au pied du pommier.
— Qu'est-ce que tu viens faire ici?
— Je viens manger des pommes.
— Qui t'a dit de venir manger des pommes ici?
— Bien, j'ai passé ici, j'ai vu ce pommier-là et je suis venu en manger.
— Descends ici que je te dévore.
— Si tu dévores si bien, monte.

Il *se met en frais* de monter. Quand il a été rendu à la portée de Tit-Jean, il lui *maudit un coup* de canne sur le nez. Il le tue raide.
— Bien, mon Dieu avec cette canne-là, il y a rien à mon épreuve.

Il mange des pommes à son soûl. C'était des bonnes pommes. Il s'est dit: "Tout d'un coup qu'il y aurait quelqu'un dans cette maison-là. Je vais aller voir".

Il descend, il marchait sur les beaux dix *piastres* en argent, des dix *cents*, puis toutes sortes de choses de même. Il marchait dans un carré d'argent qui était grand, il *s'écartait* dedans. Il sort du jardin finalement, et il va prendre l'escalier du coin. Il y avait sept portes en haut de l'escalier, il cogne à toutes les portes, ça parlait pas. Quand il arrive à la dernière, il sort une princesse.
— Qu'est-ce que vous venez faire ici, vous? Allez-vous-en au plus vite. Moi, ici

69

je suis gardée par un géant. Le roi a envoyé des armées pour le détruire, mais le géant a toujours mangé les armées du roi.

— Oui, qu'est-ce que c'est qu'un géant? Je connais pas ça. Regardez au pied du pommier là-bas, j'ai tué une petite bête, je sais pas si c'est ça.

— Oui, c'est ça, vous avez tué le géant. Allez-vous-en à l'écurie, il y a un grand cheval noir, un sabre noir et un habit noir. Le sabre pèse sept cents *livres*, et vous jouerez avec ce sabre-là *pareil comme* vous pourriez jouer avec un couteau de poche. Tout ça vous appartient, et moi aussi je vous appartiens.

Ah! bien *maudit*, il lui *saute au bec;* puis ils se sont embrassés une *secousse*. Quand est venue l'heure de *descendre ses vaches*, il dit:

— Maintenant, il faut que je *descende mes vaches* au roi.

— Tu vas revenir?

— Ah! oui.

Toujours qu'en *descendant*, il fait rencontre de sa bête.

— Tit-Jean, comment ça a été?

— Parlez-moi-s'en pas, je croyais mon père riche, puis il est bien pauvre au prix de moi, aujourd'hui.

— Ah! je le sais. Vois-tu les grandes portes rouges là-bas?

— Oui.

— Elles sont gardées par un aigle. Il a quatorze *pieds* entre les deux yeux. Aie pas peur, passe sur le bout des pieds, avec ta baguette de fer, il y *a rien à ton épreuve.*

Le lendemain matin, il passe ses vaches en arrière encore; et puis il vient passer par là. Il aperçoit cet animal-là, quatorze *pieds* entre les deux yeux, ça faisait une grosse tête. Il avançait un bout et reculait. Il se dit: "La bête m'a dit de passer, je passe". Toujours, il passe sur le bout des pieds et va au pommier le plus haut. Rendu dans les trois quarts, il glisse puis *bardasse* un peu. L'aigle se réveille; au premier saut, il saute droit au pied du pommier.

70

— Qu'est-ce que tu viens faire ici?

— Je viens manger des pommes.

— Qui t'a dit de venir manger des pommes ici?

— J'ai vu ces pommiers-là quand j'ai passé, et j'ai décidé de venir en manger.

— Descends je vais te dévorer.

— Si tu dévores si bien, monte.

— Descends je vais te dévorer!

— Monte, ici.

Quand il a vu qu'il voulait pas descendre, il *s'est mis en frais* de monter. Quand il a été à sa portée, Tit-Jean lui *maudit un coup* de canne sur le nez, il l'a encore tué raide.

— Avec cette canne-là, il y *a rien à mon épreuve.*

Il mange des pommes qui étaient sept fois meilleures que celles de la veille. Quand il en eut mangé à son soûl, il descend. Là, il marchait rien que sur des belles pièces d'or, sur des carrés, c'était rien que ça. Il se dit: "Il y a peut-être encore du monde dans cette maison-là, je vais toujours aller voir".

Là, il faisait attention pour ne pas briser les carrés, pour ne pas enterrer l'argent. Il a *vu l'heure* de sortir de là. Toujours, il en *vient à bout*, il va prendre l'escalier du coin. Il se met à cogner aux portes. Il y en avait bien quatorze portes à cogner. A la quatorzième, il sort une princesse encore qui avait été volée.

— Qu'est-ce que vous venez faire ici, vous? Allez-vous-en au plus vite. Je suis gardée par un aigle. Le roi a envoyé des armées pour le tuer, mais l'aigle a toujours détruit ses armées.

— Qu'est-ce que c'est un aigle? Je connais pas ça. Est-ce la petite bête que je viens de tuer, regardez au pied du pommier-là!

— Vous avez tué l'aigle! Bien, allez dans l'écurie, il y a un grand cheval rouge, une selle rouge, un sabre rouge et un habit rouge. Le sabre pèse quatorze

" — Qu'est-ce que vous venez faire ici, vous? Allez-vous-en au plus vite. Je suis gardée par un aigle."

cent *livres*, et vous pourrez jouer avec, comme vous joueriez avec un couteau de poche. Tout ça vous appartient, et moi aussi.

Ah! *maudit*, il lui *saute* encore *au bec;* puis il passe une belle journée qu'il a pas trouvée longue. Quand vient l'heure de *descendre ses vaches*, il y va; il fait rencontre de sa bête.
— Bonjour Tit-Jean.
— Bonjour belle bête.
— Comment ça va?
— Je croyais mon père riche, mais je *suis* bien *fondé* au prix de lui.
— Comment ça a été avec ton aigle?
— Elle (la bête) a voulu monter, je lui ai donné un coup de canne, et je l'ai tuée raide.
— Il y *a rien à ton épreuve* avec ça. Vois-tu les portes blanches là-bas.
— Oui.
— Bien, elles sont gardées par une biche qui a vingt et un *pieds* entre les deux yeux. Tu vas la trouver grosse, mais aie pas peur, passe. Fais attention pour ne pas *bardasser,* et monte dans le pommier le plus haut, parce que la biche est *mauvaise.*

Il part le lendemain matin, et va pour mettre ses vaches en arrière du clos des portes blanches. Il aperçoit cette affaire-là! Elle avait vingt et un *pieds* entre les deux yeux. Là il avait peur pour vrai. Il vient à bout de faire un grand bout, il reculait et avançait. Il se dit: "La bête m'a dit de passer, je passe". Il passe, et s'en va au pommier, et encore rendu aux trois quarts il glissait, il réveille la biche. Au premier saut, elle arrive droit au pied du pommier.
— Qu'est-ce que tu viens faire ici, toi?
— Je viens manger des pommes.
— Qui t'a dit de venir manger des pommes ici?
— Bien, j'ai vu ces pommes-là, j'ai pensé de venir en manger.

73

— Descends ici, je vais te dévorer à mon tour.

— Si tu dévores si bien, c'est à toi à monter, c'est pas à moi de descendre.

Quand elle a vu qu'il ne voulait pas descendre, elle *s'est mise en frais* de monter dans le pommier. Quand elle a été à sa portée, Tit-Jean lui *maudit un coup* de canne sur le nez, il la tue encore raide. Il se dit: "Mon Dieu, avec cette canne-là, il y *a rien à mon épreuve;* ces trois grosses bêtes que je tue avec ça"!

Il mange des pommes, elles lui fondaient dans la bouche. C'était les meilleures pommes qu'il avait jamais mangées. Quand il fut *tanné* de manger des pommes, il a descendu. Il marchait rien que sur les cinquante *piastres* en diamant; puis il faisait attention de ne rien briser, sur des diamants, c'était beau. Il se dit: "Il y a peut-être encore du monde dans cette maison-là".

Il part et va voir. Il *s'écartait* dans les carrés pour rien briser, ça a pris du temps à sortir. Il s'en va à l'escalier, là, il y avait vingt et une portes à cogner. A la dernière, il y avait encore une princesse qui avait été volée. Elle dit:

— Allez-vous-en, laissez tout au plus vite possible, parce que moi, ici, je suis gardée par une biche. Le roi a envoyé des armées pour la détruire, et c'est elle qui a toujours détruit les armées du roi.

— Bien, qu'est-ce que c'est une biche? Je connais pas ça. Est-ce la petite bête que je viens de tuer? Regardez au pied du pommier là.

— Comment? Avez-vous tué la biche?

— Je sais pas si c'est la biche, regardez.

— Oui, c'est la biche que vous avez tuée. Allez dans l'écurie, il y a un grand cheval blanc, une selle blanche, une bride blanche, un sabre blanc et un habit blanc. Le sabre pèse vingt et un cents *livres.* Vous jouerez avec ça, ce sabre-là, comme vous joueriez avec votre couteau de poche. Tout ça vous appartient et moi aussi.

74

Elle, qui était sept fois plus belle que toutes les autres. Il avait passé une belle journée encore là. Quand ça venait le temps de *descendre ses vaches*, puis de les *monter* le lendemain, à tous les jours il changeait de maison, il visitait ses princesses. Il fait trois semaines, un mois comme ça, puis il rencontre sa bête.

— Ah! bonjour Tit-Jean.

— Bonjour belle bête.

— Comment ça va?

— Parlez-moi-s'en pas, je croyais mon père riche, et je suis bien millionnaire au prix de lui.

— Bien, je le savais. Demain, c'est pas tout, il faut que tu ailles te battre avec un aigle. Tu apporteras ton cheval noir, ton sabre noir et ton habit noir.

— Ah! il faut que j'aille me battre!

— Oui. Demain, c'est la princesse du roi qui est pour se faire dévorer. Il faut que tu ailles te battre.

— Ah! c'est bon, je vais y aller.

Le lendemain matin, il prend son cheval noir, puis il va attendre la princesse le long du chemin. Elle avait peur, elle croyait que c'était l'aigle; elle voulait passer tout droit.

— Eh! eh! eh! belle princesse, arrêtez un peu. Qu'est-ce que ça veut dire, une belle princesse comme vous qui s'en *va dans un chemin de bois*?

— Vous savez pas ça, vous?

Elle ne le reconnaissait pas.

— Non. Je suis arrivé d'hier dans le pays, je connais pas le pays, je partais pour m'en aller.

— Ici, il y a un aigle qui dévore une fille à tous les matins. Ce matin je suis la dernière et je vais me faire dévorer, et après je sais pas comment ça ira dans le pays.

— Voulez-vous que j'y aille avec vous?

— Ah! non, je veux pas que vous ven(i)ez avec moi; vous allez vous faire dévorer *pareil comme* moi.

— Bien, votre vie puis ma vie, quelle vie est la meilleure? C'est deux vies pareilles. Moi, ma vie je m'en *foute* bien.

— Ah! vous, vous en *foutez* bien de mourir?

— Ah! oui, je m'en *foute* bien. Sautez à cheval avec moi.

Elle saute à cheval. Ils voient un *éclair*, et ils se disent:

— Ce doit être la bataille qu'il y a là!

Tit-Jean quand il arrive au bord du champ de bataille, il attache son cheval. Voilà qu'ils aperçoivent l'aigle.

— Depuis *tant de temps* que j'ai rien qu'une fille à manger à tous les matins, là j'en ai trois (deux personnes et un cheval ce matin).

Tit-Jean répond:

— Avant d'en manger trois, on va se battre.

— Comment veux-tu te battre?

— A *armes blanches.*

Mon Tit-Jean arrivait avec son sabre de sept cents *livres* sur le dos, qui pliait, mais pas trop. Il se bat trois heures de temps, et il lui casse une aile. L'aigle lui dit:

— Demain matin, je vais avoir sept fois plus de force.

— Moi aussi.

Toujours l'aigle part et s'en va rien que sur une aile, et sur deux pattes, ça allait pas vite.

Tit-Jean demande à la princesse à qui elle devait sa vie.

— Pas à d'autres qu'à vous.

— *Embarquez* à cheval avec moi et je vais aller vous reconduire chez vous.

Elle prend ses mouchoirs et ses joncs et les lui donne. Elle *embarque* à cheval, et il va la reconduire chez elle. Là, il la fait *débarquer* au plus vite, et il *prend le haut* pour aller chercher ses vaches. Le roi bien surpris de voir revenir sa fille.

— Qu'est-ce que ça veut dire ça? Il y en a pas une qui revient, et toi tu reviens?

— C'est un homme qui est venu se battre avec l'aigle, et il lui a cassé une aile; et demain il faut qu'il y retourne.

— Le connais-tu cet homme-là?

— Non, il est venu avec un cheval noir, un sabre noir et un habit noir.

Toujours que Tit-Jean en *descendant ses vaches* rencontre sa bête.

— Puis, comment ça a été aujourd'hui?

— Bien, aujourd'hui je lui ai cassé une aile.

— *C'est bon*, demain prends ton cheval rouge, ta selle rouge, ton sabre rouge, ta bride rouge et habille-toi en rouge. Puis ton sabre va peser quatorze cents *livres*, tu vas avoir de la force avec ça.

Ça fait qu'il *prend ses vaches*, les *descend,* et les *remonte*. Le lendemain matin, il va encore les chercher, puis les remonte encore au château, et va chercher son cheval rouge. C'était un cheval qui *marchait* une fois et demie *comme le vent*. Il était pas en peine pour faire un bout de chemin. Il s'en va attendre la princesse à la même place qu'hier. La princesse avait peur, elle s'en venait tranquillement. Quand il fut près, elle voulait passer droit.

— Eh! arrêtez un peu. Qu'est-ce que ça veut dire une belle princesse comme vous, vous *prenez un chemin de bois*?

— Comment, vous savez pas ça, vous?

— Non, je sais pas ça.

— Bien, ici, il y a un aigle qui dévore une fille à tous les matins, puis ce matin, c'est moi qui est la dernière fille du pays; puis quand il m'aura dévorée, on sait pas comment ça ira dans le pays.

— Voulez-vous que j'aille avec vous?

— Ah! non, je veux pas que vous ven(i)ez avec moi, parce que vous allez vous faire dévorer *pareil comme* moi.

— Votre vie ou bien ma vie, laquelle est la meilleure? C'est deux vies pareilles, et puis moi, ma vie, je m'en *foute* bien.

— Vous avez pas peur de mourir?

— Ah! non j'ai pas peur de mourir.

Elle saute à cheval. Ils arrivent sur le champ de bataille. Au bout de trois heures, voilà l'aigle qui arrive.

— Ah! depuis si longtemps que j'ai pas mangé, rien qu'une fille à tous les matins, j'en ai trois à manger ce matin.

Tit-Jean dit:

— Avant que tu en manges trois, on va se battre.

— Comment tu veux te battre?

— A *armes blanches*.

Avec son sabre, tu comprends, qui pesait quatorze cents *livres*, il pliait mais pas encore trop. Ils se battent six heures de temps. Au bout de six heures, il lui casse une patte. L'aigle lui *demande quartier* à demain.

— Je vais avoir sept forces de plus que toi demain.

Tit-Jean dit:

— Moi aussi.

Rien que sur une patte et une aile, ça ne marchait pas vite, ça sautait. Là, Tit-Jean demande à la princesse à qui elle devait sa vie.

— Pas à d'autres qu'à vous, c'est vous qui lui avez cassé une patte, il est pas mort.

Elle prend ses mouchoirs et ses joncs et les lui donne. Le roi l'attendait plus, il la pensait morte.

Tit-Jean dit:

— *Embarquez* à cheval avec moi, je vais aller vous reconduire.

78

Il la traverse au bord du *bois*; rendu en dehors du *bois*, il *prend la force* de son cheval. Un cheval qui *marchait* une fois et demie *comme le vent*, ça va vite. Il la fait *débarquer* au château, reprend le chemin et s'en va chez lui. Le roi encore bien surpris de voir la princesse encore revenue.

— Bien, aujourd'hui, c'est un cheval rouge qui est venu, puis l'homme était habillé en rouge et avait un sabre rouge. Il a cassé une patte à l'aigle. Il faut que j'y retourne demain.

Toujours, il fait encore rencontre de sa bête en s'en revenant, en ramenant ses vaches.

— Comment ça a été aujourd'hui?

— Je me suis battu six heures de temps, et au bout de ce temps-là, je lui ai cassé une patte.

— Bien, demain, prends ton cheval blanc, ton sabre de vingt et un cents *livres*, tu vas voir qu'il va plier, mais pas trop.

Ça fait qu'il *descend ses vaches*, les *tire*, puis les *remonte*, et va les rechercher le lendemain matin. Il les *remonte*. Il va chercher son cheval blanc qui *marchait* deux fois *comme le vent*. Il va encore attendre la princesse à la même place que les journées passées. Quand elle a vu ce cheval blanc, elle a eu peur, quand elle vient pour passer près de lui:

— Eh! eh! eh! belle princesse, arrêtez un peu. Voulez-vous me dire pour quelle raison vous *passez dans un chemin de bois*?

— Ah! vous savez pas ça, vous?

— Je sais pas. Je suis arrivé d'hier dans le pays.

— Bien, je m'en vais me faire dévorer par un aigle; et il dévore une fille à tous les matins. Je suis la dernière fille du pays et quand il m'aura dévorée je sais pas comment ça ira dans le pays.

— Voulez-vous que j'aille avec vous?

— Ah! non, je veux pas que vous ven(i)ez avec moi. Vous allez vous faire dévorer *pareil comme* moi.

— Ma vie ou votre vie, c'est deux vies pareilles. Je m'en *foute* bien de ma vie.
— Ah! si vous avez pas peur de mourir, venez avec moi.

Elle saute à cheval. Ils arrivent sur le champ de bataille; lui il savait, il se presse pas. Il attache très bien son cheval et attend l'aigle neuf heures de temps. Voilà l'aigle qui arrive rien que sur une patte et une aile.
— Ah! depuis *tant de temps* que j'ai pas mangé, rien qu'une fille à tous les matins, j'en ai trois à manger ce matin.
   Tit-Jean dit:
— Avant que tu en manges trois, tu vas toujours bien te battre.
— Comment tu veux te battre?
— A *armes blanches*.

En disant *armes blanches*, ils commencent à *se bûcher*. Ils se battent douze heures de temps. Au bout de douze heures, il casse le cou de l'aigle. Il demande à la princesse à qui elle devait sa vie.
— Pas à d'autres qu'à vous, c'est vous qui l'avez tué, l'aigle.

Elle prend ses mouchoirs et ses joncs, et les lui donne.
   Elle *embarque* à cheval, et, *prennent le champ*, ça prend pas de temps à s'en aller au château; sur le vent, un cheval qui *marchait* deux fois *comme le vent*. Dans un saut, ils étaient rendus. Il la fait *débarquer* vitement et *prend le haut* chercher ses vaches au plus vite.

Le roi encore bien surpris de la voir revenir.
— Bien, là, l'aigle est mort.
— As-tu *connu* l'homme, toujours?
— Non, le premier est venu avec un cheval noir, un sabre noir et habillé en noir. Le deuxième était en rouge, un sabre rouge et un habit rouge et j'ai pas *connu* l'homme. Aujourd'hui, c'était un cheval blanc, un sabre blanc et l'homme était habillé en blanc et j'ai pas pu *connaître* l'homme.

— Comment va-t-on s'y prendre pour *connaître* cet homme-là?

Le roi dit à son valet:

— Comment va-t-on s'y prendre pour *connaître* cet homme-là?

— Sire mon roi, je vois rien qu'une chose.

— Qu'est-ce que c'est?

— Faites *battre un ban* en annonçant que vous suspendez le jonc de la princesse sous un arbre, que tout le monde passera en dessous et frappera le jonc pour le faire sonner.

— Oui.

Il fait *battre le ban* tout de suite, puis il met le jonc de la princesse en dessous, et, là, fait *battre un ban* que tout le monde de la ville passe. Là, ça passait, ça frappait le jonc, mais ça sonnait pas.

Quand Tit-Jean a vu que tout le monde avait passé, il va chercher son cheval noir. La princesse et le roi était sur la *galerie* et ils examinaient partout. Tout à coup, elle voit venir Tit-Jean.

— Tiens, c'est lui qui le premier est venu avec le cheval noir.

Il passe sous l'arbre, monsieur, ça sonnait comme des cloches quand il frappait le jonc. Il passe aller retour, ça sonnait, et il s'en va. Le roi dit:

— Ah! beau valet, je l'ai pas encore.

— Oui, mettez une armée chaque bord du chemin, et puis que tout le monde passe et qu'ils gardent le cheval ou bien l'homme. On aura quelque chose.

— Oui, c'est bien vrai.

Il fait *battre* encore *un ban* que tout le monde passe. Le lendemain, voilà que tout le monde se met à passer. Il frappait le jonc mais ça sonnait pas.

Quand Tit-Jean a vu qu'il avait rien que le temps d'aller chercher son cheval, il part et va chercher son cheval rouge. Il *marchait* une fois et demie *comme le vent*. La princesse dit:

— Tiens, c'est lui qui a cassé une patte à l'aigle.

Puis le roi avait mis une armée chaque bord du chemin pour garder l'homme ou le cheval. Tit-Jean passe aller et retour, et fait sonner les joncs, ça sonnait comme des cloches. Puis l'armée a eu peur du cheval, et *s'est tassée* dans le fossé.

— Ah! beau valet, je l'ai pas encore.

— Bien oui, mais regardez ce qu'ils ont fait.

— Qu'est-ce qu'ils ont fait?

— Quand ils ont vu arriver le cheval, ça allait assez vite, ils se sont jetés dans le fossé. Mettez une armée pour pouvoir garder le cheval ou l'homme, quelque chose.

Le roi fait encore mettre une armée, puis il dit:

— Là, si vous gardez pas le cheval ou l'homme, je vous *fais* tous *périr*. Je vous fais mettre à mort.

C'est à croire! Là, c'est pas tout à fait pareil! Le lendemain, tout le monde se met encore à passer. Ça passait, mais ça sonnait pas. Quand Tit-Jean voit que tout le monde fut passé, il eut rien que le temps d'aller chercher son cheval blanc. Il *marchait* deux fois *comme le vent*. Il s'en venait vite. La princesse sur la *galerie* dit:

— C'est lui qui a tué l'aigle.

Ça fait qu'il passe aller retour, il fait sonner les joncs. Ah! le roi dit:

— Beau valet, on l'a pas.

— Oui, mais on l'a blessé cette fois-ci, il y a une épée de cassée.

— Quoi faire de ça?

— Bien, engagez des *docteurs*, pour soigner tous les boiteux. Il va y avoir des boiteux, ayez pas peur.

Toujours qu'il engage des *docteurs* pour soigner tous les boiteux. Il y en avait qui *s'embarquaient* des bouts de fer dans les cuisses, des bouts de broches, des bouts de couteaux. Tout ce qu'ils pensaient de s'*embarquer* dans une cuisse, pour pouvoir boiter, ils le faisaient. Ça faisait trois, quatre jours, qu'ils soignaient quand Tit-Jean se met à boiter. Les *tireuses de vaches* ont dit:

— Va te faire soigner, Tit-Jean.

— Ah! j'ai tombé sur une roche, je me suis fait mal *pas mal*. Ça va revenir tout seul.

— Va te faire soigner.

— Ah! non, je me ferai pas soigner pour une affaire de même.

Le lendemain, il se traînait une patte. Les *tireuses de vaches* disent cela au roi.

— Dites-lui qu'il vienne se faire soigner lui aussi.

— Ah! ça va revenir tout seul.

Ça passe de même encore cette journée-là. Le lendemain, il se traînait pour tout de bon, par exemple. Ils vont dire cela au roi.

— *Paroles de roi*, qu'il vienne se faire soigner, *pareil comme* les autres.

Toujours qu'il arrive, puis ils halent le bout de l'épée, et ça arrivait juste à l'autre bout de l'épée cassée.

— Comment, c'est toi qui as tué l'aigle?

— Oui, c'est moi qui a tué l'aigle.

Le roi le blâme un peu. Tit-Jean dit:

— Je voulais pas m'en mêler de ça. Attendez-moi un peu, je vais aller chercher mes chevaux. Vous me croyez pas, je vais aller chercher mes chevaux.

Il va chercher son cheval noir; et la princesse et le roi étaient encore sur la *galerie*. Il passait et faisait sonner les joncs; ils sonnaient comme des cloches. Il arrive droit en avant du château.

— Sire mon roi, est-ce moi, ça?

— Oui, c'est bien toi.
— Attendez-moi encore une minute.

Il va chercher son cheval rouge; et elle dit:
— Tiens, c'est lui qui a cassé la patte de l'aigle.

Il passe encore aller retour, et ça sonnait comme des cloches, les joncs. Il arrête et dit:
— Tiens, sire mon roi, est-ce moi, ça?
— Oui, c'est encore toi.
— Bien, attendez-moi encore une minute.

Là, il va chercher son cheval blanc qui *marchait* deux fois *comme le vent*. La princesse dit:
— Tiens, c'est lui qui a cassé le cou de l'aigle.

Il fait sonner les joncs encore aller retour, ça sonnait comme des cloches. Il arrête droit devant le château.
— Tiens, sire mon roi, est-ce moi, ça?
— Oui, tu vas l'avoir ma fille en mariage.
— Gardez-là votre fille, j'en veux pas de votre fille, j'en ai des bien plus belles que la vôtre.

Tit-Jean s'est marié, j'ai été garçon d'honneur, puis je suis revenu vous conter ça.

V

LE ROI QUI DONNE LA MOITIÉ DE SON ROYAUME

Dans "le Roi qui donne la moitié de son royaume" (1), Isaïe Jolin conserve la trame principale du récit, mais il y associe en plus quelques épisodes de "l'Homme à la recherche de son épouse" (2). Ce conte n'est pas des plus populaires dans la littérature orale canadienne-française et il est également peu répandu dans le monde, même s'il est connu en Europe, en Asie occidentale et en Afrique du Nord.

Il figure cependant dans la littérature écrite. Madame d'Aulnoy, en 1698, dans ses *Contes nouveaux* ou les *Fées à la mode*, a adapté ce texte oral. Les frères Grimm, au XIXe siècle ("les Trois Plumes" et "le Pauvre Garçon meunier et la Petite Chatte"), en firent à leur tour la trame de deux contes. Avec de légères variantes, il apparaît aussi dans *les Mille et une Nuits*, traduction d'Antoine Gallant. La littérature de colportage l'a diffusé pendant tout le XIXe siècle.

Un roi demande à ses trois fils de lui rapporter des objets merveilleux. C'est le plus jeune des trois qui réussit le mieux. Son aide sera une chatte qui n'est rien d'autre qu'une princesse *emmorphosée*. C'est d'abord un châle qu'exige le roi, puis un chien, et ensuite la plus belle fille de la terre. Tit-Jean finira par épouser cette belle princesse qu'il a réussi à délivrer du diable.

Même si ce conte appartient au monde merveilleux, Isaïe Jolin ne manque pas d'y présenter des éléments du monde physique et humain. Ainsi, certains motifs traditionnels étrangers ont été substitués par des réalités

---

1. Aarne-Thompson, "la Chatte fiancée", c-type 402. 25 versions sont cataloguées aux A.F., U.L.
2. Aarne-Thompson, c-type 400. 150 versions sont cataloguées aux A.F., U.L.

contemporaines. Le conteur ne parlera pas d'une montagne d'or, mais d'une montagne de glace, et une pièce de tissu généralement non identifiée prend la forme d'un châle. De même, comme aides, au lieu de géants, nous trouvons des phénomènes atmosphériques, tels ''Vent-du-Nord'' (le plus fort) et ''Vent-du-Sud'' (le plus faible).

Comme dans le monde des humains, les convenances sont respectées; le père donne toujours la parole au plus vieux de ses fils, et le jeune homme à qui l'on reconnaît peu d'intelligence n'est pas écouté et peu récompensé pour ses exploits.

e vais vous conter, vous raconter, tant de vérités, tant de menteries, plus je mens, plus je veux mentir.

Une fois, c'était un roi. Il avait trois garçons; et il leur dit:
— Celui-là qui ira me chercher le plus beau châle, il aura la moitié de mon royaume.
Les garçons sont partis. Tit-Jean le plus jeune voulait y aller, mais les deux plus vieux voulaient pas parce qu'il était trop *fou*.

Toujours les plus vieux étant partis, Tit-Jean dit à son père:
— Moi aussi, j'y vais.
Quand il a vu qu'il voulait y aller absolument, qu'il *se greyait*, il lui a dit:
— Vas-y.
Il rattrape ses frères.
— Va-t'en, on veut pas te voir avec nous autres, tu es bien trop *fou*.
Le plus vieux le *poigne* et lui *maudit une volée*. L'autre dit:
— Arrête donc de *fesser*, tu vois bien qu'il va venir pareil.

Ils partent et marchent trois semaines sans arrêter. Au bout du temps, ils arrivent à trois chemins. Le plus vieux dit:
— Je prends ce chemin-là.
Le deuxième garçon a pris le deuxième chemin, puis Tit-Jean *prit* un *chemin de bois*. Il dit:
— Moi, parce que je suis plus *fou* que les autres, je vais *prendre un chemin de bois*.

Ils s'étaient donné rendez-vous au même endroit, à telle date. Tit-Jean marche trois semaines, puis il arrive à une grosse maison de bois. Il cogne à la porte, ça répondait pas. Il entre, il prend une chaise pour un homme, *s'assit* et dit:
— Si j'*avais à manger*, je mangerais bien!

87

La table se met pour un homme. Après *souper*, il dit:

— Si j'avais une pipe et du tabac, je fumerais bien!

La pipe et du tabac qui arrivent sur la table. Quand ça vient vers neuf heures, il dit:

— Je me coucherais bien!

Une porte de chambre qui s'ouvre, et un beau lit blanc. Il dormait pas, il entend *bordasser*.

— Qu'est-ce que c'est ça?

Tout d'un coup, une belle grosse chatte blanche, elle saute sur le lit.

— Tiens, bonjour Tit-Jean.

— Bonjour belle chatte blanche. Comment ça, tu parles!

— Moi, je suis une princesse *emmorphosée* et le diable va venir te chercher bientôt. Si tu lui dis que tu vas marier une de ses filles, tu vas être *emmorphosé pareil comme* moi. Ses filles sont pas plus belles que moi, et tu seras transformé en chat.

— Je m'arrangerai bien avec lui.

Il se couche et la chatte blanche s'en va. Rendu à minuit, le diable cogne à la porte.

— Lève-toi Tit-Jean.

— *Oui.*

Il s'habille et le diable dit:

— Viens avec moi.

Il l'emmène dans sa chambre.

— Tiens, tu vas te marier, hein, Tit-Jean?

— Moi, les filles je suis pas *achalé* de ça. Je m'en *foute* bien des filles.

— Ah! tu vas voir comme elle est belle.

Il l'entend marcher *dans le haut*. Le diable lui crie de descendre; elle descend.

— Hein! je te l'avais dit qu'elle était belle!

— Ah! oui elle est belle, mais moi j'aime mieux pas avoir de fille. J'en veux pas.

Il le tourmente jusqu'à une heure. Rendu à une heure, il ouvre la porte et envoie Tit-Jean dehors. Il part et s'en va se coucher. Le lendemain matin, il était à table et la princesse arrive. Elle était délivrée rien que des pieds jusqu'au-dessous des bras.
— Ah! Tit-Jean, comment as-tu trouvé ça?
— Ça a pas été trop dur.
— Qu'est-ce que tu viens faire par ici?
— Bien, mon père a dit que celui-là de ses garçons qui irait chercher le plus beau châle, qu'il aurait la moitié de son royaume. Ça a pas l'air qu'ici on va avoir grand-chose.
— Ah! non. Tiens, prends cette boîte-là, mets-la dans tes poches, tu montreras cela seulement à ton père.
— Oui.

Il *prend le chemin* et s'en va. Ils *s'adonnent* tous les trois à se rencontrer aux chemins convenus. Les deux frères lui disent:
— Où est ton châle?
— J'en ai pas.
— Qu'est-ce que le roi va dire?
— Il dira ce qu'il voudra. Montrez-moi donc les vôtres!

Ah! *maudit*, ils avaient des beaux châles tous les deux. Le roi savait, à l'heure et à la minute, qu'ils étaient pour arriver. Il fait venir toute la ville, pour savoir lequel avait le plus beau châle. Ils arrivent, *se déchangent* et mangent. Après *souper*, il fallait regarder les châles. Le roi demande le plus vieux:
— Montre-moi ton châle!
Ah! mon Dieu tout le monde ont dit:

— Ça peut pas être plus beau que ça, non, non, ça peut pas être plus beau que ça.

Quand le roi fut *tanné* de celui-là, il dit au deuxième:
— Montre-moi ton châle!
Il montre son châle, il était sept fois encore plus beau. Tout le monde ont dit:
— Celui-là, ça peut pas se *bitter*.

Quand ils ont été *tannés* de celui-là, le roi dit à Tit-Jean:
— Où est le tien?
— Ah! moi, c'est pas grand-chose, il est dans une petite boîte.
Il montre son châle, un aussi grand châle que les autres. Il était encore sept fois plus beau que les autres. Tout le monde a dit:
— Ça, c'est le plus beau châle qui peut pas se montrer jamais.
Le roi dit:
— *Ce coup-ci*, je donne pas mon royaume; mais celui-là qui ira me chercher le plus beau chien aura la moitié de mon royaume.
Ah! toute la ville a dit:
— Il a pas eu le royaume parce que c'est Tit-Jean.

Toujours, ils partent encore tous les trois. Ils arrivent à leurs trois chemins. Le plus vieux prend son même chemin, le deuxième aussi, et Tit-Jean aussi. Tit-Jean arrive à la porte après avoir marché encore trois semaines. Cogne à la porte. Ça répond pas, ni une deuxième fois, ni une troisième fois. Il entre. Une chaise pour un homme, il *s'assit.* Au bout d'une *secousse*, il dit:
— Si j'*avais à manger*, je mangerais bien!
La table se met pour un homme. Après manger, il dit:
— Si j'avais une pipe, je fumerais bien!
Tout à coup une pipe qui se met sur la table. Quand ça vient neuf heures,

90

il dit:

— Si j'avais un lit, je me coucherais bien!

Une porte de chambre qui s'ouvre avec un beau lit blanc.

— Ah! c'est pour moi.

Il part et va se coucher. Au bout d'une *secousse*, il entend *bordasser*.

— Tiens, je suis certain que c'est ma chatte blanche.

Elle arrive et saute sur le lit.

— Tiens, bonjour Tit-Jean.

— Bonjour belle chatte blanche.

— Ce soir, ça va être plus dur un peu à résister. Sa fille va être sept fois plus belle que l'autre jour, mais elle est pas plus belle que moi. Si tu la maries tu vas tomber *emmorphosé pareil comme* moi.

— Ah! aie pas peur, je m'arrangerai bien avec.

— Il (le diable) va venir à minuit.

— C'est bien.

Il se couche et a minuit le diable cogne a la porte.

— *Oui*.

Il s'habille et en ouvrant la porte.

— Viens-t'en avec moi.

Il part et s'en va avec lui dans sa chambre.

— Tu vas te marier demain matin.

— Ah! moi, les filles je suis pas *achalé* de ça. Les filles je m'en *foute* bien de ça.

— Tu vas voir comme elle est belle. Elle est bien plus belle que celle de l'autre jour.

— Ah! ça fait rien, j'aime pas ça, moi, les filles.

Il l'entendait marcher.

— Descends donc ici, toi.

91

Elle descend.

— Tiens, regarde Tit-Jean, elle est belle, hein!

— Ah! oui, elle est bien plus belle que celle de l'autre jour, mais je suis pas *achalé* plus. Je m'en *foute* bien de ça, moi, les femmes.

Il le tourmente encore une heure de temps, mais gagne pas encore. Ah! là, il te le *maudit* encore une fois dehors et ferme la porte, le château en tremblait. Il se couche. Le lendemain matin il se lève et s'en va à la table. La table était mise pour un homme. La princesse était délivrée sur tout son corps (des pieds au cou).

— Qu'est-ce que tu viens faire aujourd'hui?

— Mon père a dit que celui qui aurait le plus beau chien, c'est celui-là qui aurait la moitié de son royaume. Là, j'ai eu le plus beau châle, je vais peut-être avoir le plus beau chien.

— Ah! j'ai pas grand-chose, mais tiens, prends cette boite-là et mets-la dans tes poches, puis montre-la pas à tes frères.

— Ah! non.

Il part avec ça. Au bout de trois semaines, ils se rencontrent encore tous les trois à la minute. En sortant de leur chemin, ses frères disent:

— Où est-ce que ton chien est?

— Ah! j'en ai pas de chien, moi.

— Qu'est-ce que le roi va dire?

— Il dira ce qu'il voudra. Montrez-moi donc vos chiens!

Ah! *maudit*, ils avaient des beaux chiens. Tit-Jean avait pas vu le sien, il savait pas comment il était. Le roi savait encore la journée, l'heure et la minute qu'ils arriveraient. Il fait encore venir tout le monde de la ville pour savoir qui était pour avoir le plus beau chien. Après *souper*, le roi *calle* le plus vieux:

— Montre-moi ton chien!

Ah! *mondain*, il avait un beau chien.
— Ah! ça peut pas être plus beau que ça.

Quand il fut *tanné* de celui-là, il *calle* le deuxième. Ah! il était encore sept fois plus beau.
— Ça peut pas être jamais plus beau que ça, jamais.

Quand il fut *tanné* de lui, il dit:
— Puis toi, Tit-Jean?
— Ah! moi c'est pas grand-chose, je l'ai dans une petite boîte.

Il ouvre sa petite boîte, et le chien était aussi gros que les leurs. Il était encore sept fois plus beau que les leurs.
— Ah! ils auront pas encore mon royaume *ce coup-là*. Là, c'est le dernier *coup*. Celui-là qui ira me chercher la plus belle fille, là, c'est certain, il aura la moitié de mon royaume.

Ils repartent le lendemain matin. Ils prennent encore le même chemin. Ils marchent encore trois semaines pour aller à leur chemin. Ils y arrivent et le plus vieux dit:
— Moi, je prends mon même chemin.

Le deuxième aussi:
— Ah! oui, moi aussi.

Tit-Jean dit:
— Moi, parce que je suis plus *fou* que les autres, je vais *prendre un chemin de bois. C'est bon.*

Il marche et prend encore trois semaines pour arriver à sa grosse maison. Il arrive et cogne à la porte. Ça parlait pas. Il cogne trois fois. Ça parlait pas. Il entre, il voit une chaise pour homme, il *s'assit* une *secousse* et dit:
— Si *j'avais de quoi à manger*, je mangerais bien!

La table se met pour un homme. Après manger, il dit:

93

— Si j'avais une pipe et du tabac, je fumerais bien!

Voilà une pipe, du tabac et des allumettes sur la table. Là, neuf heures arrivent, il dit:

— Si j'avais un lit, je me coucherais bien!

Une porte qui s'ouvre avec un beau lit blanc.

— Ah! ça c'est pour moi.

Toujours, il part et va se coucher. Il entend sauter sur le pied de son lit au bout d'une *secousse*.

— Tiens, voilà ma chatte blanche.

— Ah! Tit-Jean ça va être dur ce soir. Ce soir, il va y avoir une fille, elle va être belle, belle, tu n'en as jamais vu de si belle; mais elle est pas plus belle que moi. Si tu la maries, tu vas tomber *emmorphosé* avec moi.

— Ah! je m'arrangerai bien avec lui, tu vas voir.

— A minuit, il va venir cogner à la porte.

— Ah! oui.

Elle saute au bas du lit et s'en va. Il se couche et s'endort. A minuit, le diable le réveille. Tit-Jean s'habille et ouvre la porte. En ouvrant la porte, le diable dit:

— Viens-t'en avec moi.

Il part et s'en va avec lui.

— Ce soir, tu vas te marier, tu vas voir.

— Ah! moi, je *suis pas achalé* du mariage, ça m'*occupe* pas moi.

— Tu vas voir comme elle est belle. Elle est bien plus belle que les autres.

— Qu'elle soit belle tant qu'elle voudra.

Il entend marcher. Le diable dit:

— Descends donc ici toi un peu.

Elle descend. Il la trouve assez belle, monsieur, qu'il tombe sur le dos.

— Hein! elle est belle, hein!

— Oui, mais ça m'*achale* pas ça, moi, les filles. J'aime pas ça.

Il le tourmente encore une heure, il gagne pas. Il te le *maudit* dehors. Là, il ferme la porte assez fort qu'il croyait que le château était pour tomber à terre. Il part et va se coucher. Le lendemain matin, il se met à table. Sa fille arrive complètement délivrée. Après *déjeuner*, elle dit:
— Qu'est ce que tu viens faire ici?
— Bien, mon père a dit que c'était le dernier *coup* qu'il demandait quelque chose. Cette fois-ci, celui-là qui aura la plus belle fille recevra la moitié de son royaume.
— Ah! bien moi, je suis pas capable d'y aller aujourd'hui. Demain matin à huit heures justes, je vais être rendue chez vous.
— *C'est bon.*

Là, il part et s'en va. Il rencontre encore ses frères. En sortant de leur chemin, ils étaient tous les trois ensemble. Ils disent:
— Où est ta fille?
— Ma fille va venir chez nous, juste à huit heures, demain matin.

Eux autres, elles étaient enveloppées dans des sacs, ils les *amenaient* sur leur dos. Ils les faisaient pas marcher.

Le roi savait encore la journée, à l'heure et à la minute, qu'ils étaient pour arriver. Il fait venir encore tout le monde de la ville. Les garçons arrivent et *se déchangent* et ils vont *souper*. Finalement, le roi demande au plus vieux pour voir sa fille. Ah! mes amis, sa fille sort du sac, ils ont tous dit:
— Ça peut pas se voir plus beau que ça. Ça peut pas se faire plus beau.

Quand ils ont fini de regarder celle-là, ils regardent l'autre, celle du deuxième. Elle était encore sept fois plus belle.

— Ah! celle-là, on peut jamais demander mieux, ça peut jamais être plus beau que ça.

Après qu'ils ont eu fini de regarder celle-là, le roi dit:
— Toi, Tit-Jean!
— Bien, la mienne va être ici, à huit heures justes, demain matin.
— Bien, si elle n'est pas ici à huit heures justes, demain matin, tu vas monter sur la potence.
— Oui, à cause que c'est moi. Elle a dit qu'à huit heures justes elle serait ici.

Le lendemain matin, il fait venir encore tout le monde de la ville pour voir la fille. Puis elle a retardé de quelques minutes, pour voir quelle sorte de personne c'était. Le roi regardait sa montre; à huit heures justes, il dit:
— Montez-le sur la potence, c'est rien que des menteries, montez-le.

Il était rien que rendu sur la potence, qu'il la voit venir. Elle était belle, sept fois plus belle que les autres, mais elle passe droit. Tout le monde la voyait, elle dit:
— Ah! il y a un homme sur la potence, moi j'arrête pas. Si tu veux m'avoir Tit-Jean, tu viendras me trouver où je serai.

Ah! là, le roi le regrettait, mais c'était plus le temps, elle était partie. Le roi décide de lâcher Tit-Jean:
— D'abord que c'est de même, je m'en vais d'ici.
La bonnefemme dit:
— Donnez-y de l'argent toujours, pour s'arrêter où il voudra, pour vivre.

Toujours, il lui donne une somme d'argent. Le voilà qu'il part; il marche trois semaines. Il arrive dans un petit *camp*, il y avait une femme et elle dit:
— Tiens, bonjour Vent-du-Sud. Comment tu es malade! Quand tu es parti d'ici, tu étais gras comme un *suisse*. Là, tu es bien maigre. Tu as bien été malade!

— Ah! oui, j'ai été bien malade, je suis venu près de mourir.
— Bien, regarde tes bottes et tes habits sont là. Vent-du-Nord est allé je sais pas où. Il va te le dire où, il est à la veille d'arriver.

Toujours bien, Vent-du-Nord arrive. La bonnefemme dit:
— Regarde comment Vent-du-Sud est maigre. Quand il est parti, il était si gras. Il a *manqué mourir* à son voyage.
— C'est vrai qu'il est maigre, mais ça va passer pareil.

Il se met à le questionner tranquillement, tu sais.
— Ah! là, je suis monté sur la montagne de glace, la princesse se marie dans trois jours. Elle est en train de laver son linge, et moi je fais un beau petit vent, pour faire sécher son linge.
— Est-ce que je pourrais y aller moi aussi par là?
— Ah! oui, tu viendras avec moi, demain matin.
— Ah! oui.

Toujours que le lendemain matin, il dit:
— Prends tes bottes et habille-toi, tu vas venir avec moi.
Les bottes, elles marchaient sept *lieues* du pas. Ça marchait vite au prix de nous autres. Toujours, ils arrivent au pied de la montagne de glace; elle avait peut-être bien cinquante *pieds* de haut. Il dit:
— Vas-tu pouvoir monter? Toi, tu as moins de force que moi.
— Ah! ça devrait, que je pourrais monter.
— Bien, tu as besoin de *te pousser*.

Toujours, Tit-Jean monte. Rendu à peu près à la moitié, tiens, il redescend.
— Ah! je savais que tu étais moins fort que moi. Le Vent-du-Nord est toujours plus fort que le Vent-du-Sud. Bien, envoie, je te soufflerai dans le derrière.

Voilà Tit-Jean qui était parti à monter, l'autre lui soufflait dans le

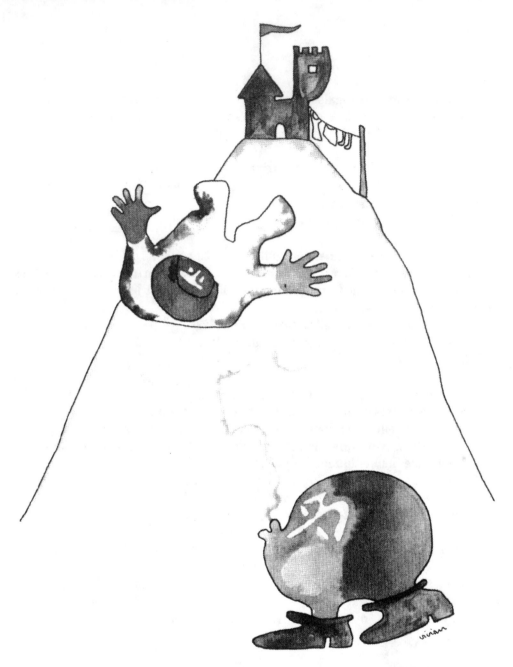

" — Ah! je savais que tu étais moins fort que moi. Le Vent-du-Nord est toujours plus fort que le Vent-du-Sud, envoie, je te soufflerai dans le derrière."

derrière, puis monte.

— Ah! maintenant le roi aurait besoin d'un homme pour *monter du bois* dans les chambres. Tu vas t'engager là. Passe par la porte du coin.

— Oui.

Tit-Jean, lui, il part et s'en va là; il cogne à la porte. Les valets du roi qui sortent:

— Qu'est-ce que vous voulez?

— Bien, je voudrais parler au roi.

— On va lui dire.

Ils partent et vont dire cela au roi.

— Qu'il vienne!

Il arrive là.

— Qu'est-ce que tu veux?

— Bien, je cherchais de l'ouvrage, je sais pas si je vais m'en trouver par ici.

— Ah! oui. Moi même j'en ai besoin d'un pour *porter le bois* dans les chambres quand ils en demandent. Chaque chambre a son numéro.

— Ah! oui.

Il avait les mouchoirs de la princesse. Il était assis sur une chaise, il prend le mouchoir de la princesse et il s'essuie. La servante voit ça; elle part le dire à la princesse.

— Il y a un homme qui s'essuie avec un de vos mouchoirs; votre nom est dessus.

— Bien, dites-lui donc qu'il me monte une *brassée de bois*.

Elle descend et dit:

— A tel numéro de chambre, ils demandent une *brassée de bois*.

Il prend une *brassée de bois* et monte là. Elle le reconnaît pas. Il était si maigre.

— Mettez votre bois là, et *assisez*-vous.

Il *s'assit* et prend son mouchoir et s'essuie.
— Comment, c'est toujours pas Tit-Jean?
— Oui. J'en ai arraché le long de mon voyage. C'est bien Tit-Jean. Regardez vos mouchoirs et vos joncs.
— Ah! bien j'étais pour me marier dans trois jours; c'est pas lui que je vais marier, c'est toi. C'est toi qui m'a délivrée.

Là, elle le *trime pareil comme* un vrai prince, et dit:
— Avant qu'il arrive, tiens, je vais mettre trois chaises ici, et je vais m'asseoir au *mitan;* et à la table pareil, et laisse-moi faire à la table, parle pas à la table.
— Non.

L'autre roi arrive avec son prince, il *s'assit* sur la chaise une *secousse*. Quand vient le temps de *souper,* ils avaient encore chacun leur chaise à la table. Après *souper,* fallait raconter une histoire. Le roi *calle* Tit-Jean.
— Ah! sire mon roi, ce serait pas à moi à conter mon histoire le premier, ce serait à vous, ce serait plus poli.
— Ah! bien oui.

Le roi conte une histoire. Puis il *calle* encore Tit-Jean.
— Sire mon roi, ce serait pas à moi à conter mon histoire le deuxième, ce serait au marié.
— C'est bien vrai.

Le marié conte une histoire. Quand il eut fini, le roi *calle* encore Tit-Jean; mais Tit-Jean dit:
— Bien, sire mon roi, ce serait à la mariée à conter son histoire avant moi.
— Ah! c'est bien vrai, conte ton histoire.

Elle raconte son histoire:

— Moi, quand j'ai été *emmorphosée*, j'avais une valise, j'ai perdu la clef. Je m'en ai fait faire une autre clef, mais elle *débarrait* pas bien, la deuxième. Qu'est-ce que vous feriez à ma place? Vous garderiez la première clef qui *débarrait* bien, ou bien la deuxième qui *débarrait* mal?

    Le père du marié dit:

— Bien, quand on a de la misère avec la deuxième, on garde la première.

— Bien, gardez votre garçon, et moi je vais garder celui-là qui m'a *démorphosée*.

    Ça *faisait* pas *son affaire* (l'autre roi). Toujours, Tit-Jean s'est marié, puis ils m'ont envoyé vous conter ça.

VI

LE PÈRE QUI VEUT ÉPOUSER SA FILLE

Dans la classification internationale de Aarne-Thompson, le conte "le Père qui veut épouser sa fille" a pour titre "l'Habit d'or, d'argent et d'étoile" (1). Depuis le XVIe siècle, la littérature écrite (2) a repris la plupart des récits populaires dans lesquels une jeune fille fait la rencontre d'un beau prince au bal; et ce conte d'Isaïe Jolin que nous présentons ici, fait partie du groupe rattaché à ce "cycle de Cendrillon". L'histoire de la jeune fille pauvre qui se dote par magie de robe d'or, d'argent et d'étoile et fait la rencontre d'un prince, se raconte partout en Europe, en Russie, en Afrique du Nord, en Asie, en Mongolie, aux Indes et en Turquie.

Peau d'Anesse est aux prises avec son propre père qui veut l'épouser. Sur les conseils de sa marraine, elle promet à son père de se soumettre à ses désirs s'il réussit à lui trouver une robe couleur de ciel. Après bien des démarches et grâce à un aide, cette tâche difficile sera accomplie. La jeune fille demandera ensuite une robe couleur d'étoile, puis une robe couleur de soleil.

Finalement, Peau d'Anesse se couchera dans un coffre magique dans lequel elle a placé ses robes et son argent, et elle sera transportée loin de son père. Arrivée à l'étranger, elle s'habille d'une peau d'âne et s'en va s'engager chez un roi.

Le soir, lorsque le prince va danser, elle revêt l'une ou l'autre de ses robes merveilleuses et elle va le rencontrer. Après bien des mésaventures, elle finit par épouser le prince.

Isaïe Jolin, qui n'a jamais vu les salles de bal des châteaux, les décrit comme si elles avaient l'allure des grandes cuisines des habitations québécoises.

---

1. Conte-type 510 B. 25 versions sont cataloguées aux A.F., U.L.
2. *Les Contes de Perrault* sont probablement les plus connus du genre.

L'environnement du château est aussi celui de la maison de campagne. Peau d'Anesse sort dehors, et elle se place près du four à pain pour voir passer le prince. La soirée de danse se passe dans une *cuisine* où il y a un coffre, un poêle et une armoire. Le prince, à la façon des gens des campagnes canadiennes-françaises, s'en va veiller chez le voisin, et il se retire vers neuf heures du soir. Comme dernière tâche, Peau d'Anesse aura à préparer une *tourtière* québécoise pour le prince.

ne bonne fois, je vais vous conter, vous raconter, tant de vérités, tant de menteries, plus je mens, plus je veux mentir.

C'était un homme et une femme. La femme tombe malade. Elle dit à son mari:

— J'ai une promesse à te faire faire.

— Qu'est-ce que c'est?

— Je veux pas que tu te maries autrement qu'avec une femme qui me ressemblera.

Il lui promet qu'elle ressemblera à elle. Toujours, elle meurt. Au bout de deux ans, il dit à sa petite fille:

— Je veux me marier, et j'ai promis à ta défunte mère de jamais me marier autrement qu'avec une femme qui lui ressemblerait. Je vais atteler mes chevaux et je vais *prendre le chemin*, puis je vais en trouver une.

Comme de fait, il attelle son cheval, puis marche. Il arrêtait de place en place. Pour *piquer au plus court*, il *marche* un an et un jour, et il en trouve pas. Il revient chez lui et dit à sa petite fille:

— J'en ai pas trouvé. Là, je vais repartir sur un autre *rang de vent*.

Toujours, il se repose une petite *secousse*, puis il *rattelle* son cheval et part. De place en place, il arrêtait. Il ne trouvait pas de femme qui ressemblait à sa défunte femme. Il *marche* encore un an et un jour, et il en trouve pas. Il dit à sa petite fille:

— Il y a rien que toi qui ressembles à ta défunte mère, tu vas me marier.

— Ah! je marierai pas mon père.

Elle va trouver sa marraine et lui conte ça.

— Tu marieras pas ton père, certain que tu le marieras pas.

105

Puis sa marraine, elle, se met à penser.

— Va-t'en chez vous, puis demande-lui une robe couleur de ciel. Il la trouvera pas; tant qu'il la trouvera pas, tu te marieras pas. Puis promets-y pas de le marier. S'il vient à en trouver une, viens me revoir.

— Ah! oui.

Toujours que le bonhomme était fatigué. Il voulait se marier. Le lendemain matin quand il se lève, il va se mettre près du poêle, près de la porte de sa fille.

— Ah! ma petite fille, veux-tu me marier ce matin?

— Ah! pas ce matin.

— Qu'est-ce que tu as ce matin?

— Bien, tant que vous m'aurez pas trouvé une robe couleur de ciel, je vous marierai jamais.

— Où est-ce que je vais trouver ça à cette heure, une robe couleur de ciel?

— Ah! bien je me marierai jamais.

Il attelle son cheval, puis il part. Il *prend le chemin* en *braillant*. Il *braille* jusqu'à trois heures. Rendu à trois heures, qu'est-ce qu'il fait rencontre? Un homme avec un âne.

— Voulez-vous me dire qu'est-ce que vous avez à tant pleurer?

— Moi, ma femme avant de mourir, elle m'a fait promettre de jamais me marier autrement qu'avec une femme qui lui ressemblerait. Il y a rien que ma petite fille. Ça fait deux ans que je *marche;* quatre ans que ma femme est morte. Il y a rien que ma fille qui lui ressemble. Je veux la marier, puis elle me demande une robe couleur de ciel. Où est-ce que je vais trouver ça?

— Bien, mon Dieu, je peux vous *charger* de ces robes-là, moi.

Toujours, il part et dit:

— Venez avec moi.

Il s'en va chercher une robe. Quand il arrive chez eux, il dit:

106

— Tiens, ma petite fille, je t'en ai trouvé une. Regarde comme tu as une belle robe. Veux-tu me marier maintenant?

— Je vous dirai ça demain matin.

— Ah! oui demain matin, il va y avoir d'autres choses encore.

— Je vous dirai ça demain matin.

Elle part voir sa marraine qui lui dit:

— Tu marieras pas ton père certain. Va-t'en chez vous et demande lui une robe couleur d'étoile, tu vas voir qu'il en trouvera pas. Puis promets-y pas de le marier. S'il vient à en trouver une, viens me revoir.

— Ah! oui.

Quand elle arrive à la maison, le bonhomme ronflait. Elle se couche. Le lendemain matin, quand il se lève, il se met encore près de la porte du poêle un peu plus matin que *de coutume*. Quand elle ouvre sa porte:

— Vas-tu me marier ce matin?

— Non, pas ce matin. Ce matin, il me faut une robe couleur d'étoile. Autrement je me marierai jamais.

— Pauvre petite fille, voir si je vais trouver ça, une robe couleur d'étoile. Tu vois bien que ça a pas de bon sens.

— Je me marierai jamais si vous la trouvez pas.

Il attelle son cheval, et part encore en *braillant* et *braille* jusqu'à trois heures du soir encore. Qu'est-ce qu'il fait rencontre? De son vieux et de son âne.

— *Woh!* Voulez-vous me dire ce que vous avez à tant pleurer?

— Moi, ça fait deux ans que je *marche* pour avoir une femme. Quand ma femme est morte, elle m'a fait promettre de jamais marier une femme si elle avait pas sa ressemblance. Il y a rien que ma petite fille qui ressemble à sa défunte mère. Je veux la marier, mais aujourd'hui elle me demande une robe couleur d'étoile.

— Bien, mon Dieu! Venez avec moi, je peux vous *charger* de ça.

107

Toujours qu'il part et va chercher une robe couleur d'étoile. Ah! *mondain*! c'était une belle robe. En arrivant chez lui, il dit à sa fille:

— Regarde ma petite fille comme j'ai une belle robe. Vas-tu me marier maintenant?

— Je vous dirai ça demain matin.

— Oui, mais demain matin, tu vas avoir encore d'autres choses!

Là, elle part et va encore voir sa marraine.

— Tu marieras pas ton père certain. Va-t'en chez vous et demande lui une robe couleur de soleil, tu vas voir qu'il en trouvera pas. Promets-y pas de te marier s'il en trouve une, viens me revoir.

Elle revient, il dormait, il était fatigué, il ronflait. Elle se couche. Le lendemain matin quand il se lève, il se met près de la porte du poêle en attendant sa fille.

En ouvrant la porte, il dit:

— Vas-tu me marier ce matin?

— Ah! pas ce matin.

— Bien, qu'est-ce que tu veux ce matin?

— Une robe couleur de soleil.

— Tu vois bien que je trouverai jamais ça de ma vie une robe couleur de soleil!

— Bien, je vous marierai jamais.

Ah! il repart encore de nouveau en *braillant*, et il *prend le chemin*. Il pleure encore jusqu'à trois heures. A trois heures, il fait rencontre de son vieux, en pleurant.

— *Woh!* Qu'est-ce que vous avez à tant pleurer?

— Bien, ça fait deux ans que je *marche*. Ma femme est morte depuis quatre ans, et elle m'a fait promettre de jamais marier une femme à moins qu'elle lui ressemble. Il y a rien que ma fille qui ressemble à sa défunte mère. Elle me demande une robe couleur de soleil, voir si je vais trouver ça, ça a pas de bon sens.

— Mon Dieu! Venez dans la ville avec moi, je vais vous *charger* de ça.

Ils partent, s'en vont en ville, puis achètent une robe couleur de soleil. Il arrive chez lui et dit:

— Tiens, ma petite fille, vois-tu comment j'ai une belle robe? Vas-tu me marier demain matin?

— Je vous dirai ça demain matin. Là, ce sera le dernier *coup*.

Elle part et va encore trouver sa marraine. Elle lui dit:

— Il m'a encore trouvé une robe couleur de soleil.

— Ah! bien, tu marieras pas ton père certain.

Elle se met à jongler.

— Va-t'en chez vous, demande lui un coffre qui *marche par invisible*. Certain qu'il trouvera pas ça.

Toujours, elle part et s'en va chez elle. Le bonhomme dormait et ronflait. Le lendemain matin, il se lève et se place encore près de la porte du poêle. Quand elle ouvre, il dit:

— Vas-tu me marier ce matin?

— Non, pas ce matin, mais là, c'est le dernier *coup*. Je vous demanderai pas autre chose. Là, on se mariera.

— Ah! Qu'est-ce que tu veux?

— Un coffre qui *marche par invisible*.

— Penses-tu que je vais trouver ça?

— Bien, si vous trouvez pas ça, je me marierai jamais. Vous avez trouvé les trois robes, vous pouvez trouver ça.

Toujours, il *rattelle* son cheval et part encore de nouveau en pleurant. Il *prend le chemin*, pleure jusqu'à trois heures. Il rencontre encore son homme

109

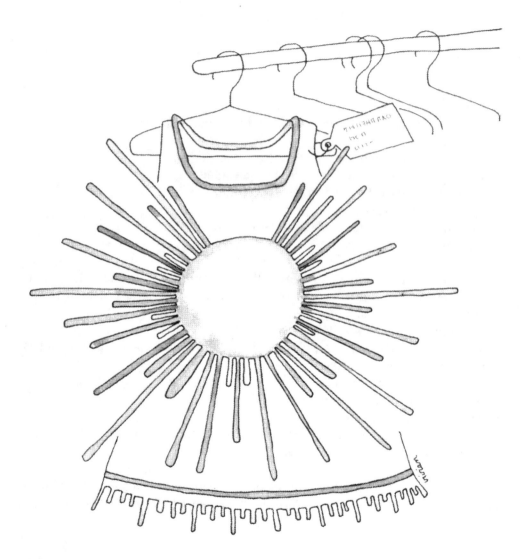

"Ils partent, s'en vont en ville, puis achètent une robe couleur de soleil."

avec un âne.

— Eh! Qu'est-ce que vous avez à tant pleurer encore, aujourd'hui?

— Bien oui, moi, ça fait quatre ans que je suis veuf, puis ça fait deux ans que je *cours les chemins* pour trouver une ressemblance de ma défunte femme. Il y a seulement que ma fille qui lui ressemble, et elle me demande encore un coffre qui *marche par invisible.* Ça se trouvera jamais.

— Mon Dieu! Venez avec moi, je vais vous *charger* de ça.

Il part et va acheter un coffre qui *marche par invisible.* Il arrive à la maison et dit:

— Vas-tu me marier maintenant?

— Ah! oui.

Sa marraine lui avait dit de dire oui, puis de prendre une somme d'argent, du *butin,* de mettre ça dans son coffre, puis de se coucher dedans. Puis, elle dit:

— Tu vas te transporter bien loin de chez vous, tu marieras pas ton père, certain.

Quand le bonhomme a été bien endormi, qu'il ronflait, elle a mis dans son coffre une bonne somme d'argent, puis tout son *butin,* et elle s'est couchée dans le coffre. Le lendemain matin, elle se réveille, mais elle savait pas où elle était rendue. Elle prend son coffre, se le met sur le dos, puis elle marche sur le chemin. Elle rencontre un homme avec un âne.

— Bonjour monsieur.

— Bonjour.

— C'est pas à vendre cet âne-là?

— Ah! non. Il m'a bien trop rendu service, je peux pas vendre mon âne.

Elle lui offre une somme d'argent; il vend son âne.

— Comment, vous me demandez pour le tuer et le *plumer?* Ah! je tue pas mon âne certain, ni je le *plume.*

Elle lui offre encore une somme d'argent; il tue son âne et le *plume.* Puis

111

elle se met la peau sur le dos. En se mettant ça sur le dos, elle était aussi laide comme elle avait été belle. Là, ils l'appelaient la "Peau d'Anesse". C'était son nom ça, Peau d'Anesse. Elle part et s'en va chez le roi. Elle demande au roi s'il aurait pas d'ouvrage.

— Oui, j'aurais de l'ouvrage pour garder mes moutons dans la forêt là-bas, pour pas que les loups les mangent.

— Je vais m'engager.

Toujours, elle s'engage. Au bout d'une quinzaine de jours qu'elle était là, elle part et va s'asseoir à la porte du four à pain*. Le prince passe, il s'en allait veiller. Peau d'Anesse dit:

— Moi aussi, je vais aller veiller.

Il perd pas de temps, il y avait une pelle, il lui *maudit un coup* de pelle sur les fesses.

— Ah! *fesse* tant que tu voudras, je suis capable d'y aller moi aussi. Où est-ce que tu vas?

— Je vais chez le voisin, là.

Elle regarde où il allait; il allait chez le voisin. Elle entre, se lave comme il faut et elle met sa robe couleur de ciel. Là, elle était belle à comparer à ce qu'elle était avec sa peau d'ânesse sur le dos. Le prince s'aperçoit qu'il y avait une lueur dans le *châssis* quand elle allait dans le chemin. Il se lève, puis se met à regarder. Il aperçoit que c'était une belle fille qui venait, et s'en allait droit là. Il la laisse rendre au pied de l'escalier, puis il sort vitement et la demande pour *souper*. Elle accepte; après *souper*, il lui demande où elle *restait*.

— Bien je *reste* dans la rue du Coup-de-Pelle.

— Il y en a pas de rue du Coup-de-Pelle.

* Le four à pain faisait généralement partie jadis des dépendances de la maison (Jean-Claude Dupont, *le Pain d'habitant*, Montréal, Leméac, 1974, 105 pages.)

— Il y en a une, je *reste* là.

— Il y en a pas.

— Bien, je *reste* là. Voilà neuf heures arrivées, je vais m'en aller.

Il veut aller la reconduire, elle veut pas.

— Je suis venue toute seule, je vais m'en retourner seule.

Elle s'en va, enlève sa robe vitement, se barbouille un peu et remet sa peau d'ânesse sur le dos. Le prince passe près d'elle et dit:

— Je te dis, Peau d'Anesse, que j'ai vu une belle fille ce soir.

— Mon Dieu, pas plus belle que moi!

— Eh! Peau d'Anesse, regarde-toi donc la face, écoeurante comme tu es, Peau d'Anesse, regarde-toi, va dans le miroir.

— Je l'ai vue ta fille. Quand tu l'as vue venir, tu t'es dépêché vitement à regarder où elle allait. Quand elle a été rendue au pied de l'escalier, tu l'as demandée vitement pour *souper*. Après *souper*, tu lui as demandé pour la veillée, elle a dit oui. Durant la veillée, tu lui as demandé où elle *restait*, elle t'a dit qu'elle restait dans la rue du Coup-de-Pelle.

— C'est vrai, où étais-tu?

— J'étais droit derrière toi, couchée derrière le poêle.

— Demain, tu viendras pas, certain.

— J'irai bien.

Ça fait toujours, ça se passe de même, il part et va se coucher. Il pensait rien qu'à sa belle fille. Puis il se dit: "Je donne un coup de pelle à Peau d'Anesse, elle dit qu'elle *reste* dans la rue du Coup-de-Pelle, puis elle me dit qu'elle est pas plus belle qu'elle. Pourtant ce n'est pas Peau d'Anesse." Il pense à cela toute la nuit et toute la journée, à sa belle fille.

Peau d'Anesse, le matin, a mangé son croûton de pain noir *comme de coutume*. Elle va voir à ses moutons; elle les compte, ils y étaient tous. Elle les recompte le soir encore, ils y étaient encore tous. Elle les laisse un peu

plus de bonne heure et s'en va à la porte du four à pain. Elle attend le prince.
— Tiens, Peau d'Anesse, je vais veiller ce soir.
— Où est-ce que tu vas?
— Je vais chez le deuxième voisin.
— Bien, moi aussi je vais toujours bien y aller.

Il perd pas de temps, il lui *maudit un coup* de pied dans le derrière. Elle dit:
— *Fesse* tant que tu voudras, je vais y aller moi aussi.

Il s'en va, puis elle regarde où il allait; il allait chez le deuxième voisin. Là, elle met sa robe couleur d'étoile, elle était encore mieux que l'autre; elle *éclairait* encore mieux que l'autre. Le prince s'aperçoit qu'il y avait une lueur dans le *châssis.* Il part et va voir ci qui venait; c'était encore sa belle fille qui s'en venait. Il regarde où elle allait; elle allait là. Il sort vitement et va la rejoindre au pied de l'escalier, et la demande pour *souper.* Après *souper,* il lui demande dans quelle rue elle *restait,* elle dit:
— Je *reste* dans la rue du Coup-de-Pied.
— Il y en a pas de rue du Coup-de-Pied.
— Ah! il y en a une, je *reste* là dans la rue du Coup-de-Pied.
— Ah! il y en a pas.
— Ah! oui. Voilà neuf heures, il faut que je m'en aille.

Il veut aller la reconduire, elle dit non.
— Je suis venue toute seule, je vais m'en retourner toute seule.

Là, elle s'en va, se déshabille vitement puis le prince arrive.
— Je te dis Peau d'Anesse, que je croyais avoir vu une belle fille hier soir, mais ce soir j'en ai vu une vraie belle.
— Mon Dieu! pas plus belle que moi.
— Regarde-toi donc la face, regarde-toi comme il faut, tu parleras pas de cette manière-là.
— Ah! je l'ai vue ta fille. Quand tu l'as vue venir, tu t'es dépêché vitement à regarder où elle allait. Tu as vu qu'elle allait où tu étais. Quand elle était

114

rendue au pied de l'escalier, tu l'as demandée pour *souper*. Après *souper*, tu l'as demandée pour la veillée, tu lui as demandé où elle *restait*. Elle t'a dit qu'elle *restait* dans la rue du Coup-de-Pied.

— C'est vrai que tu y étais. Où étais-tu?

— Bien, j'étais droit derrière toi, couchée au côté du coffre.

— C'est vrai que tu y étais, tu me contes tout ce qui est arrivé. Bien, demain soir, tu passeras pas. Je vais mettre une armée chaque bord du chemin, et quand la belle fille va arriver, l'armée va fermer le chemin par derrière.

— Ah! je passerai bien.

Ça fait qu'il va se coucher, et pense encore à sa belle fille. Il se dit: "Avant-hier, je lui donne un coup de pelle; elle *reste* dans la rue du Coup-de-Pelle. Puis ce soir j'y donne un coup de pied; elle *reste* dans la rue du Coup-de-Pied. Pourtant c'est pas Peau d'Anesse, elle est trop laide pour que ce soit elle; et elle se dit aussi belle qu'elle". Il dort pas de la nuit, ni de la journée. Il pensait rien qu'à ses belles filles.

Le lendemain soir, elle compte ses moutons plus à bonne heure et elle revient au four à pain. Le prince arrive et dit:

— Tiens, Peau d'Anesse, ce soir tu passeras pas.

— Ah! je passerai bien, va. Où est-ce que tu vas?

— Je vais chez le troisième voisin.

— Bien, moi aussi je vais y aller.

Il perd pas de temps, il lui *maudit une claque* par la tête.

— Ah! *fesse* tant que tu voudras, je vais y aller. Je suis capable d'y aller, moi aussi, veiller.

— Que je te voie! Tu vas voir que tu vas sortir bêtement.

— Tes belles filles, j'en suis pas *occupée*.

Elle regarde où il va, c'était chez le troisième voisin. Là, elle met sa robe couleur de soleil; celle-là était belle par exemple, cette robe-là *éclairait*. En prenant le chemin, la lueur tombait dans le *châssis;* il regarde voir, c'était sa belle fille. Elle arrive près de l'armée, l'armée ouvrait puis refermait tout de suite par derrière. Il regarde où elle allait, elle s'en allait droit là encore. Il la laisse rendre à l'escalier, puis il sort vitement, puis la demande pour *souper*. Elle dit oui. Après *souper,* il la demande pour la veillée; elle accepte. Durant la veillée, il lui demande où elle *restait*.

— Je *reste* dans la rue du Coup-de-Tape.

— Il y en a pas de rue du Coup-de-Tape par ici.

— Bien, il y en a une, parce que je *reste* là.

— Ah! il y en a pas.

Ça fait que toujours voilà neuf heures arrivées, elle dit:

— Je vais m'en aller maintenant.

Il veut aller la reconduire; elle veut pas.

— Je suis venue toute seule, je vais m'en retourner toute seule.

Elle arrive près de l'armée; l'armée ouvrait et refermait par derrière. Puis en arrivant, elle se *déchange* vitement. Puis le prince qui arrive.

— Je croyais avoir vu deux belles filles, Peau d'Anesse. C'est ce soir que j'en ai vu une belle!

— Mon Dieu! pas plus belle que moi!

— Ecoeurante que tu es, regarde-toi donc la face.

— Je l'ai vue ta belle fille, *pareil comme* toi, la même chose. Quand tu t'es aperçu qu'elle venait, ta belle fille, tu as regardé où elle allait, et lorsqu'elle a été en bas de l'escalier, tu l'as demandée pour le *souper*. Puis après le *souper*, tu l'as demandée pour la veillée. Durant la veillée, tu lui as demandé où elle *restait*, et elle t'a dit qu'elle *restait* dans la rue du Coup-de-Tape.

— Où étais-tu?

— Bien, j'étais derrière l'armoire, près de toi encore.

116

— Ah! bien tu me l'as dit tel que c'est arrivé, faut bien le croire. Mais, c'est pas toi.

Là, il monte dans sa chambre, il se met à *jongler* à ça. Le voilà malade. Ça faisait quinze jours qu'ils le soignaient et ne pouvaient venir à bout de le *ramener*. Le roi dit:
— Qu'est-ce qu'on pourrait faire pour te *ramener*?
— Bien, il me faut une *tourtière* faite par Peau d'Anesse.
— Bien oui, tu la mangeras tout seul, ça va être plein de poils cette *tourtière*-là. Moi, j'en mangerai pas, certain.
— C'est rien que ça que je veux, une *tourtière* faite par Peau d'Anesse.

Toujours, le roi fait venir la Peau d'Anesse.
— Etes-vous capable de me faire une bonne *tourtière*?
— Ah! oui. Je suis capable de vous faire une bonne *tourtière*, rendu que j'aurai tout ce qu'il me faut pour la faire.
— Tu vas avoir tout ce qu'il te faudra.
— Bien, je suis capable de vous faire une bonne *tourtière*. Je veux être renfermée toute seule dans une chambre, sans que personne me la voit faire.
— Oui.

Puis il lui donne une clef et elle *barre sa porte*. Là, elle met sa robe couleur de soleil, puis elle fait sa *tourtière* et met son jonc au *mitan*. Et puis le prince *regarde par la serrure* de la porte; il a vu que c'était sa robe couleur de soleil qu'elle avait. "Ah! c'est elle, il y en a pas d'autres qu'elle". Quand elle a eu fini sa *tourtière*, elle se remet sa peau d'ânesse sur le dos, et prend la *tourtière* sur le bout des doigts et va la porter au roi.
— Sire mon roi, êtes-vous capable de la faire cuire comme il faut?
— Oui.
— Pas trop cuite, rien que bien cuite.
— Ah! oui.

— Tiens, la voilà.

Le roi fait cuire sa *tourtière* rien que bien cuite. Il prend la *tourtière* et va la donner à son garçon, le prince. Le prince prend un couteau et la sépare droite en deux.
— Tiens, mangez votre part et moi la mienne.
— Moi, je mangerai pas de poils qui a dans ça.
— Pour me plaire, mangez-en quelques bouchées.

Pour lui plaire, il veut en manger un peu; et ensuite elle était si bonne, il la veut toute.
— Mangez votre part et puis moi la mienne.
Ça fait que le prince en mangeant la sienne, il trouve le jonc de Peau d'Anesse. Puis c'était une fille bien riche.
— Ah! bien, elle restera pas là; c'est pas pour elle de garder les moutons.

Il laisse faire quelques jours encore, et puis au bout de quelques jours, elle a oublié d'apporter son *dîner* (dans le champ). Ils s'aperçoivent qu'elle avait oublié son *dîner*. Le prince dit:
— Moi, je vais y aller porter son *dîner*.

Il lui apporte le meilleur *dîner* qu'elle avait jamais mangé. Puis elle le voyait *pareil comme* on se voit là lorsqu'il rôdait autour du château. Elle le voit partir avec une chaudière. Là, elle met sa robe couleur de ciel et elle compose une chanson. La chanson était aussi belle que la robe. Quand elle a eu fini, elle a mis sa robe couleur d'étoile, et elle commença une autre chanson qui était sept fois plus belle. Quand celle-là a été finie, elle met sa robe couleur de soleil. Puis le prince regardait tout ça. Là, elle fait une chanson qui était sept fois plus belle que la dernière. Quand elle a eu fini, elle se met sa peau d'ânesse sur le dos et *reste tranquille*. Il arrive et elle dit:
— Ah! qu'est-ce que ça veut dire ça, moi *de coutume* j'ai rien qu'un croûton

118

de pain noir à manger, puis là, regarde le *dîner* que tu m'*amènes*.

— Ah! tu resteras pas ici, toi.

Toujours elle *dîne* là, et au bout de quelques jours, ils la font demander. Puis là, le prince voulait la marier. Il l'a mariée et j'étais à ses noces, et ils m'ont renvoyé pour conter ça.

VII

LE ROI PARRAIN

Isaïe Jolin identifie ce conte sous le titre de "le Roi parrain", mais dans la classification internationale (1), cet ensemble d'épisodes est celui de "Ferdinand le vrai et Ferdinand le faux". Le thème traditionnel de ce conte a de nombreux repères écrits, remontant parfois à la haute Antiquité. Certains épisodes se retrouvent dans des parallèles égyptiens datant d'avant Jésus-Christ. Vers l'an 500 de notre ère, les Chinois en connaissaient des épisodes, et les Allemands, au XIIe siècle, dans une version de *Tristan et Iseult*, y font des emprunts. Aux XIXe et XXe siècles, ce récit figure dans la littérature orale de toute l'Europe et dans celle du Caucase, des Philippines et de l'Afrique du Sud. Il fut amené en Amérique par les Français et les Espagnols.

Parmi les récits d'Isaïe Jolin, celui-ci est sans doute le plus complexe; les péripéties se succèdent prenant des formes inattendues, et les éléments merveilleux sont multiples. Cependant, la caractéristique de ce conte est sûrement la démesure dans la quantité et le nombre. Les aides fantastiques qui viennent secourir le héros n'agissent plus isolément mais en groupe. C'est ainsi que Tit-Jean sera aidé dans ses tâches par une "nuée de pigeons", une "*gagne* de géants", un "orchestre de musiciens", une "armée de *frémilles*". Sept cents *livres* de viande serviront à nourrir les fourmis, sept cents *minots* de blé seront dévorés par les pigeons, une *tonne* de sirop et une *tonne* de brandy seront englouties par un géant. Et Tit-Jean qui part chercher une pomme et une fleur, reviendra avec un pommier sur le dos et des brassées de fleurs.

---

1. Aarne-Thompson, c-type 531. 75 versions sont cataloguées aux A.F., U.L.

ne bonne fois, je vais vous conter, vous raconter, tant de vérités, tant de menteries, plus je mens, plus je veux mentir.

C'était un homme et une femme qui s'en *vont dans le bois*, ils étaient plus capables de vivre chez eux. Au bout d'un an dans le *bois*, ils *achètent un bébé*. Ils savaient pas par qui le faire baptiser. Tout d'un coup, il *ressoud* un homme. Il demande à loger.

— Ah! je suis pas capable, ma femme est dans le lit, puis moi je suis pas capable de *faire à manger* beaucoup.

— Bien, pauvre monsieur, je mangerai comme vous.

— Dans ce cas-là, restez.

Durant la veillée, il se met à dire qu'il savait pas comment s'y prendre pour faire baptiser son bébé.

— Je vais y aller, moi. Je *me greyerai* demain matin, et j'irai.

— *C'est bon.*

Le lendemain matin, ils *greyent* le bébé. Puis c'était un roi, ça. Il va faire baptiser le bébé. Il prend une *commère* dans le village, puis le fait baptiser. Il s'en revient. Après, il veut s'en aller tout de suite, mais le père veut pas:

— Non, vous m'avez trop rendu service, vous allez *rester* avec moi une *secousse*.

Il reste trois ou quatre jours.

— Maintenant, je m'en vais. Moi, je suis un roi, et j'ai une montre, une bague et une somme d'argent, que je vais vous donner. Quand il *sera en âge*, à vingt et un ans, vous lui *baillerez* ça, et il viendra me voir. La somme d'argent c'est pour le faire instruire.

— Ah! c'est bien.

Toujours, il part et s'en va.

Ça vieillit vite dans les contes; le voilà rendu à sept ans. Ils l'envoient à l'école. Puis rendu à vingt et un ans, son père lui dit:

— Maintenant, tu vas aller voir ton parrain. Regarde, voilà une montre, son nom et son adresse sont écrits dessus. Tu vas aller où tu vas vouloir.

— Ah! oui.

— Puis, cette bague-là, il te l'a donnée aussi.

— Ah! oui.

Le lendemain matin, il attelle son cheval. Dans ce temps-là, c'était les charrettes à deux roues. Puis, le voilà parti. *Du long* de son chemin, vers huit heures, huit heures et demie, ce qu'il fait rencontre? Une vieille grand-mère.

— Bonjour Tit-Jean.

— Bonjour bonne grand-mère.

— Où est-ce que tu vas, là?

— Bien, je vais voir mon parrain.

— Où est-ce qu'il est ton parrain?

— Il est à une telle *place*.

— Comment? Qu'est-ce que ça veut dire qu'il *reste* là, et que toi tu *restais* dans le *bois*?

— Bien, ça veut dire que mon père et ma mère étaient plus capables de vivre où ils *restaient,* puis ils ont *mouvé* dans le *bois.* Ils étaient tout seuls dans le *bois* et personne pour me faire baptiser, et le roi est arrivé chez nous, et il m'a fait baptiser.

— Bien, écoute un peu. Tu es pas rendu. Bientôt, tu feras pas bien long, et tu vas *passer* un boiteux. Fais-le pas *embarquer* parce qu'il va te trahir.

— Ah! non.

— Puis, demain tu vas *passer* un voleur. Fais-le pas *embarquer* parce qu'il va te voler, et tu *te trouveras sur le chemin.* Puis après demain tu vas *passer* un tueur. Fais-le pas *embarquer* parce qu'il te tuera.

— Ah! non.

— Parce qu'il te tuera, puis il ira voir le roi et dira que c'est lui qui est le filleul du roi.

— Ah! non, je ferai pas *embarquer* personne.

Toujours que la bonnefemme part. Tit-Jean part; tout d'un coup, il aperçoit le boiteux. En passant près de lui:

— Tiens, bonjour Tit-Jean.

— *Woh!*

— Où est-ce que tu vas, toujours?

— Bien, je vais voir mon parrain, là.

— Où est-ce qu'il *reste* ton parrain?

— Il *reste* dans une belle *place*, une ville.

— Moi aussi je vais là, je pourrais bien *embarquer*.

— Ah! oui *embarque*.

Il *embarque*. *Du long* de son chemin, il pense à ce qu'il avait dit à la vieille grand-mère. Il se dit: "Là, je suis bien mal pris".

Toujours qu'il arrive à l'hôtel; il demande au maître d'hôtel pour payer tout de suite. Il veut pas coucher avec lui, il veut coucher loin de lui.

Puis, demain matin, je veux que mon cheval soit *soigné* à trois heures. A quatre heures, venez me lever pour *déjeuner*, pour m'en aller au plus vite.

— Ah! oui.

Arrivé le temps de se coucher, Tit-Jean dit:

— Maintenant, je voudrais me coucher.

Ils partent, le boiteux le suit. Le maître d'hôtel dit:

— Toi, va à l'autre bout là, et lui au bout ici.

Le boiteux:

— Ah! pourquoi *briser un lit* pour rien. Pouvez-vous me dire pourquoi?

— Va coucher à l'autre bout, puis lui ici. C'est ça que je t'ai dit.

125

Toujours, *sur la voix du maître* d'hôtel, il faut passer par là. Ils se couchent. Le lendemain matin, le maître d'hôtel *soigne* son cheval à trois heures; et à quatre heures, il vient le réveiller sur le bout des pieds. Puis, après le *déjeuner*, il attelle son cheval. Comme il passait au bout de la maison, le boiteux était sur la *galerie*, et criait:

— Attends-moi Tit-Jean. Moi aussi, ça va me prendre trop de temps à y aller (à pied).

— Que le diable t'emporte!

Puis, il *fesse* son cheval. "Marche". Toujours, il avait *pris le chemin.* Vers neuf heures, qu'est-ce qu'il fait rencontre? Qu'est-ce qu'il *passe*? Le voleur.

— Bonjour Tit-Jean. Arrête un peu.

— *Woh!*

— Où est-ce que tu vas, là?

— Je vais voir mon parrain.

— Où est-ce qu'il *reste* ton parrain?

— Il *reste* dans une telle ville là-bas.

— Comment se fait-il qu'il *reste* si loin de toi?

— Bien, quand mon père et ma mère pouvaient plus vivre au village, ils ont *mouvé* dans le *bois*. Ils étaient seuls, et personne pour me faire baptiser; puis le roi est arrivé chez nous, et il a été me faire baptiser le lendemain. Il m'a donné cette bague-là, cette montre-là et une somme d'argent pour me faire instruire.

— Moi aussi, je vais par là. Tu m'amènerais bien, hein!

— Ah! oui, *embarque.*

Il *embarque. Du long* de son chemin, il pense encore à ça. Il se dit: "Je suis encore mal pris là encore". Arrivé à l'hôtel, il demande encore au maître d'hôtel pour *souper*, puis coucher à part.

— Ah! oui.

— Demain matin, je veux que mon cheval soit *soigné* à trois heures. Puis à

126

quatre heures, venez me réveiller pour *déjeuner*.
— Ah! oui.
— Je veux pas que ça *bardasse*, je veux pas le revoir avec moi.
— Ah! oui.

Toujours, il se couche. L'autre voulait coucher avec lui. Le maître d'hôtel dit:
— Va te coucher dans l'autre coin, là-bas, toi.

Toujours, il part et va se coucher. Le lendemain matin à trois heures, il va *soigner* son cheval et à quatre heures il va le réveiller sur le bout des pieds. Après *déjeuner*, il attelle vitement son cheval et part. Comme il passe au bout de la *galerie*, le voleur était là qui criait:
— Attends-moi Tit-Jean. Ça va me faire trop loin, marcher à pied.
— Que le diable t'emporte!

Puis il *fesse* son cheval. "Marche". Il se dit: "Je suis toujours bien débarrassé". Il *prend le chemin* et vers neuf heures, il voit encore un homme en avant de lui. Il passe près:
— Tiens, bonjour Tit-Jean.
— Bonjour.
— Où est-ce que tu vas?
— Bien, je vais voir mon parrain, dans une telle ville, là-bas.
— Comment ça se fait que tu pars de si loin?
— Bien, quand mon père et ma mère pouvaient plus vivre au village, ils ont *mouvé* dans le *bois*. Ils étaient seuls, et personne pour me faire baptiser; puis le roi est arrivé et m'a fait baptiser le lendemain au matin. Il m'a donné cette bague-là, cette montre-là, et une somme d'argent pour me faire instruire.

Il prend son revolver et dit:
— Tiens, si tu me donnes pas ça, puis si tu dis pas que c'est moi qui suis le

127

filleul du roi, je vais te tuer *droit* ici.

Bien, il a fallu faire serment que c'était lui le filleul du roi. Puis là, il prend la bague, la montre, et puis les *cordeaux* (de la voiture) et puis par là!

Arrivés chez le roi, le tueur dit:
— Bonjour mon parrain.
— Bonjour. Comment ça se fait que je suis ton parrain?
— Bien, quand mon père et ma mère pouvaient plus vivre dans le village, ils ont *mouvé* dans le *bois*, et je suis venu au monde là. Puis, c'est vous qui êtes venu me faire baptiser. Voilà vingt et un ans de ça. Voilà votre bague et votre montre.
— Ah! oui.
— Auriez-vous de l'ouvrage à donner à cet homme-là?
— Ah! oui, je vais le mettre dans l'étable pour *avoir soin* des animaux.

Tit-Jean *avait soin* des animaux. Au bout de quinze jours, trois semaines, voilà le filleul du roi qui avait la tête basse, il était piteux. Il aurait voulu se débarrasser de Tit-Jean. Le roi dit:
— Comment, t'ennuies-tu mon filleul?
— Ah! oui je m'ennuie.
— Bien, on va aller faire un tour dans la ville là, peut-être que ça va te remettre.
— Ah! oui.

Ils partent, vont faire un tour en ville. En revenant, ils passent près du jardin du géant, c'était *bourré* de fleurs.
— Arrêtez donc un peu, mon parrain, je vais aller chercher des fleurs.
— Aller chercher des fleurs là? J'ai envoyé des armées puis des armées pour le détruire, et j'ai jamais *été capable;* il a toujours détruit mes armées. Puis, toi tu vas aller là? Tu prendras pas de temps à te faire dévorer.
— Bien, Tit-Jean le petit vacher, il s'est vanté qu'il irait en chercher des

fleurs en n'importe quel temps.

— *Paroles de roi*, il va y aller ou bien il va mourir à ma porte.

Il retourne au château et fait venir Tit-Jean.

— Qu'est-ce qu'il y a?

— Bien, tu t'es vanté que tu irais chercher des fleurs dans le jardin du géant?

— Ah! je m'en suis pas vanté, sire mon roi, mais s'il faut y aller, je vais y aller.

— Tu vas y aller ou bien tu vas mourir à ma porte.

Il *prend un chemin de bois*. Marche et puis marche. Il arrive à un petit ruisseau, il y avait un petit corps d'arbre. Il *s'assit* dessus, pleure et puis pleure. Tout d'un coup qu'est-ce qui *ressoud* devant lui? Une vieille grand-mère.

— Ah! bonjour Tit-Jean. Veux-tu me dire qu'est-ce que tu as à tant pleurer?

— Bien, c'est le roi qui veut m'envoyer chercher des fleurs dans le jardin du géant et puis je vais me faire dévorer.

— Ah! Tit-Jean, tu m'as pas écoutée, hein! Tu *es* pas *clair* de ton affaire. Si tu avais écouté ce que je t'avais dit, tu aurais pas ça aujourd'hui. Bien, tiens Tit-Jean; si tu veux faire ce que je vais te dire, tu vas passer.

— Ah! oui bonne grand-mère, je vais le faire.

— Bien, va-t'en chez le roi, et demande-lui sept *verges* de ruban blanc, puis sept *verges* de ruban rouge; puis une bouteille de brandy et puis une bouteille de lait. Tu vas arriver chez le géant, et tu vas lui étendre ces rubans-là. Il va avoir les mains en croix, puis les pieds droits. Tu commenceras aux pieds à la tête et ensuite aux mains. Là, il va se lever, il va vouloir te dévorer, puis tu vas dire:

— Voyons géant, je suis pas venu ici pour me faire dévorer, je suis venu ici pour vous voir. Je vous ai *amené* un cadeau en même temps.

— Qu'est-ce que tu m'as *amené*?

— Bien, goûtez à ce lait-là.

Il prend la bouteille et l'avale.

— Bien, c'est pas de même, mon géant, qu'on goûte. Prenez la bouteille, puis buvez comme ça.

Il prend la bouteille (de brandy) et la boit toute. Le voilà *chaud*.

— Tiens, viens voir dans mon jardin.

Toujours qu'il va lui montrer son jardin, il lui montre tout.

— Tiens, si tu veux des fleurs, casse-toi-s'en.

— Ah! oui.

Il se casse une brassée de fleurs.

— Maintenant, je vais m'en retourner.

Il passe par en dessous de la barrière.

— Aie! reviens ici, j'ai oublié quelque chose.

— Oui.

Il avait peur, là, de se faire *poigner* et de se faire dévorer.

— Tiens, arrache-moi une *barbe*.

Il lui arrache une *barbe*.

— Fais-toi un peloton avec ça, tu auras toute la force de tous les géants avec cette *barbe*-là.

— Oui, merci mon géant.

— Tu reviendras me revoir.

— Oui, je reviendrai, certain.

Toujours, il part, puis s'en va chez le roi. Il entre.

— Tiens, sire mon roi, en voilà des bouquets.

Le roi savait pas comment prendre cela, lui qui avait envoyé des armées pour détruire le géant, et il tuait toujours ses armées. Et Tit-Jean qui y va seul et qui ramène des brassées de fleurs. Il le trouve *capable*, une chose *épouvantable*. Ça fait encore deux ou trois semaines comme ça. Voilà encore le filleul du roi dans la peine, la tête basse, il s'ennuyait. Le roi s'en aperçoit.

— Comment t'ennuies-tu encore, toi?

— Ah! oui je m'ennuie encore.

— Bien, on va aller faire encore un tour dans la ville, ça va te désennuyer.

— Oui.

Il part lui faire faire un tour dans la ville et il change de chemin en s'en venant. Il se trouve à passer au jardin de l'ours blanc.

— Mon parrain! arrêtez un peu, je vais aller me chercher des pommes dans le jardin de l'ours blanc.

— Tu vas te faire dévorer certain. J'ai envoyé des armées puis des armées pour détruire cet ours blanc-là, et il a toujours détruit mes armées. Puis tu irais chercher des pommes, toi!

— C'est le petit vacher qui s'est vanté qu'il irait en chercher tant qu'il voudrait.

— *Paroles de roi*, il va aller en chercher.

Le roi arrive au château et fait venir Tit-Jean.

— Tit-Jean, tu t'es vanté que tu irais chercher des pommes dans le jardin de l'ours blanc, toi?

— Non, je m'en suis jamais vanté, mais s'il faut que j'aille, je peux aller en chercher.

— Ah! tu vas y aller ou tu vas mourir à ma porte si tu vas pas chercher des pommes.

Toujours, Tit-Jean *prend* encore *un chemin de bois*, puis marche et marche. Il arrive encore à son petit *corps mort*, il se met à pleurer; pleure et puis pleure. Tout d'un coup, sa vieille grand-mère qui arrive.

— Ah! bonjour Tit-Jean.

— Bonjour bonne grand-mère.

— Veux-tu me dire qu'est-ce que tu as à tant pleurer?

— Bien, le roi m'a dit que si je n'allais pas chercher des pommes dans le jardin de l'ours blanc que je mourrais à sa porte.

— Ah! si tu m'avais écoutée, tu aurais pas cette peine-là. Si tu veux faire ce

131

que je vais te dire, tu vas y aller.

— Ah! oui bonne grand-mère, je vais le faire.

— Bien, va-t'en chez le roi, demande-lui une *tonne* de mélasse et une *tonne* de brandy, et qu'il te les *amène* à la porte de l'ours blanc. Quand tu seras à la porte de l'ours blanc, tu défonceras tes deux *tonnes*, puis tu y goûteras. Tu diras:

— Ce que c'est bon! Ce que c'est bon!

— Donne-moi-s'en si c'est si bon que ça!

— Si tu veux me laisser aller dans ton jardin chercher des pommes, je vais te laisser boire.

— Ah! non.

   Il goûte encore à la *tonne* de mélasse.

— Eh! ce que c'est bon! Ce que c'est bon!

   Il goûte à la *tonne* de brandy.

— Ah! ce que c'est bon! C'est encore bien meilleur.

— Donne-moi-s'en si c'est si bon que ça.

— Si tu veux me laisser aller dans ton jardin comme toi, je vais t'en donner.

— Bien oui, viens ici.

   Il entre. Il lui fait goûter à la *tonne* de mélasse. L'ours blanc se fourre la tête d'en par les épaules et boit toute la *tonne* de mélasse.

— C'est pas de même qu'on goûte. On se met rien que le nez, puis on goûte, on boit.

— Ah! oui.

   L'ours blanc se met rien que le nez dans la *tonne* de brandy, et il la boit toute. Imaginez-vous, une *tonne* de brandy, il se soûle.

— Ah! mon Tit-Jean, viens voir comme j'ai un beau jardin, des beaux pommiers.

— Ah! oui.

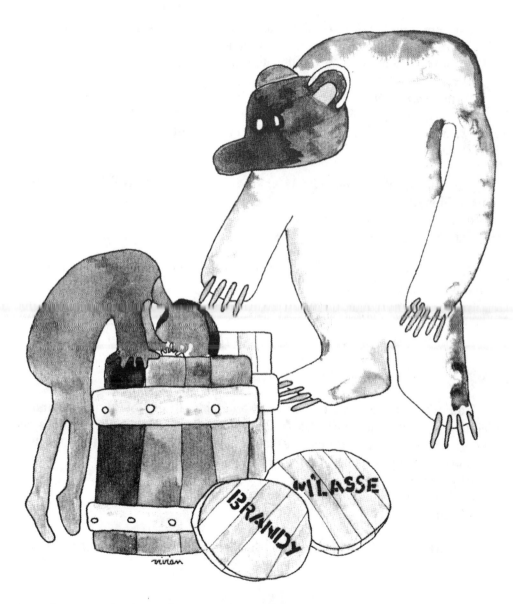

"— Ah! ce que c'est bon! C'est encore bien meilleur."

Toujours que Tit-Jean se met à *vironner* ce qu'il y a dans le jardin. Tout d'un coup, il trouve une chaîne. L'ours blanc dit:
— On pourrait bien ici, se faire une balançoire.
— Ah! oui.

Tit-Jean *amanche* la chaîne dans une branche et dit:
— Tu es pas accoutumé, toi tu vas te mettre la chaîne dans le cou, puis on va *se balanciner* pour commencer. Moi, je suis accoutumé à ça.
— Ah! oui.

Toujours qu'il lui *amanche* la chaîne dans le cou, puis il le lâche assez haut qu'il était pendu.
— Voyons Tit-Jean, démanche-moi.
— C'est ça que je veux, que tu meures.

Toujours, Tit-Jean arrache un gros pommier, puis l'*amène* sur son dos. Le filleul du roi le voit venir et dit:
— Venez voir mon parrain ce qui vient, venez voir ce qu'il *amène*; tout un pommier.

Le roi trouvait qu'il était fort *épouvantable*. Il arrive et met le pommier à la porte et dit:
— Sire mon roi, venez manger des pommes.

Toujours Tit-Jean part et s'en va à son étable. Ils goûtaient aux pommes, c'était des bonnes pommes. Ça fait encore quinze jours, trois semaines de même; voilà le filleul du roi encore dans la peine, puis il s'ennuyait. Le roi dit:
— Qu'est-ce que tu as à tant t'ennuyer?
— Ah! je le sais pas.
— Bien, on va aller encore faire un tour dans la ville.
— Ah! oui.

Ils partent faire un tour en ville. En chemin, le roi parlait de sa princesse qui était volée.

— Ah! Tit-Jean s'est vanté qu'il irait la chercher.

— *Paroles de roi,* il va y aller.

Toujours, ils s'en retournent au château, et une fois arrivé le roi fait venir Tit-Jean.

— Tit-Jean tu t'es vanté que tu irais me chercher ma princesse?

— Ah! sire mon roi, je m'en suis pas vanté, mais s'il faut que j'y aille, je vais y aller.

— Il va falloir que tu y ailles ou bien tu vas mourir à ma porte.

Le voilà encore mal pris. Il part et s'en va encore à son petit ruisseau et son petit *corps mort;* il *s'assit* et se met à pleurer, pleure et puis pleure. Tout d'un coup, sa vieille grand-mère arrive.

— Ah! Tit-Jean. Qu'est-ce que tu as à tant pleurer?

— Bien, c'est le roi qui veut que j'aille chercher sa princesse qui a été volée, puis je sais seulement pas où elle *reste.* Il veut me tuer à sa porte si je vais pas la chercher.

— Bien, écoute un peu. Si tu m'avais écoutée, tu aurais pas tous ces troubles-là. Mais si tu veux m'écouter, tu vas y aller.

— Oui. Je vais faire tel que vous allez me le dire.

— Bien, tu vas aller chez le roi, tu vas lui demander un gros *bâtiment.* Quand le *bâtiment* sera fait, tu vas prendre des provisions pour un an. Il te faut sept cents *minots* de blé, puis sept cents *livres* de boeuf. Quand il va venir un gros nuage noir, qu'il fera noir dans ton *bâtiment,* ouvre portes et fenêtres.

— Ah! oui.

Toujours, il s'en va chez le roi.

— Sire mon roi, il me faut un gros *bâtiment* pour aller là. Je veux avoir des *bons hommes* pour mener le *bâtiment.* Il me faut sept cents *minots* de blé et sept cents *livres* de boeuf.

— Ah! tu vas l'avoir.

Il *se met en frais* de lui faire faire un *bâtiment*. Il engage du monde tout de suite et il fait faire un *bâtiment*. Quand le tout a été prêt, il met tout ce que Tit-Jean voulait, puis des bons musiciens; des bons! Il part avec son *bâtiment*. Ça prenait six mois pour y aller. Au bout de deux, trois mois, tout d'un coup, ce qu'il aperçoit? Il faisait noir dans son *bâtiment*, et il dit:

— Ouvrez portes et fenêtres.

Qu'est-ce que c'était? Une nuée de pigeons, puis ils sautent sur le *bâtiment*.

— M'as-tu apporté *à manger* Tit-Jean? M'as-tu apporté *à manger*?

— J'ai sept cents *minots* de blé, mangez.

Ils sautent là-dedans, puis ils se mettent à manger. Ils mangent tout. Ils partent et s'en vont. Tit-Jean voit venir une vieille pigeonne, à peine qu'elle volait. Elle arrête.

— Tit-Jean, est-ce qu'ils m'en ont laissé, toujours?

— Je sais pas, ça m'a pas l'air qu'ils vous en ont laissé. Allons voir, peut-être bien qu'on pourra en trouver quelque part.

Ils partent et vont voir. Dans les *crêtes*, il en avait tombé, puis ils l'avaient pas mangé. Elle en a mangé tant qu'elle a voulu.

— Tiens, Tit-Jean, arrache-moi une plume.

Il lui arrache une plume.

— Avec cette plume-là, si tu as besoin de pigeonnes, tu auras rien qu'à prendre ta plume, puis à te souhaiter d'avoir toutes les pigeonnes à toi, et tu les auras tout de suite.

— Ah! oui, merci.

Elle débarque, et s'en va. Lui, il repart de son *bord*. Au bout d'un mois, encore la même chose: une nuée noire, et il faisait noir dans le *bâtiment*.

— Ouvrez portes et fenêtres.

136

Ils ouvrent portes et fenêtres. Qu'est-ce que c'était? Une nuée de *frémilles*.
— Tit-Jean, as-tu *à manger* pour nous autres?
— Oui, entrez et mangez; j'ai sept cents *livres* de boeuf.

Toujours qu'ils entrent et *se mettent* dans le boeuf; ils le mangent quasiment tout. Là, ils remercient Tit-Jean, puis partent et s'en vont. Il voit venir encore une vieille *frémille*, à peine que ça marchait.
— Tit-Jean, est-ce qu'ils m'en ont laissé, toujours?
— Venez voir, peut-être bien qu'on peut en trouver, je le sais pas. Ça m'a l'air qu'il en reste.

Elle entre et regarde. Elle en trouve assez pour manger. Quand elle a eu fini, elle dit:
— Arrache-moi une *barbe*.
   Il lui arrache une *barbe*.
— Avec cette *barbe*-là, si tu as besoin de *frémilles*, elles seront toutes à toi, tout de suite. Tu vas en avoir besoin.
   Ah! merci.

Elle part et s'en va. Lui, il continue son chemin de son *bord*. Il monte dans ses mâts, pour voir s'il verrait pas quelque chose. Mais non, il voyait rien. Ça arrivait à ses six mois qu'il était parti. Tout d'un coup, il aperçoit quelque chose, il croyait que c'était du champ, il était pas certain. Mais plus il avançait, plus ça ressemblait à une bâtisse. Il dit à ses musiciens:
— *Commencez la musique*, puis *envoyez fort*.

Toujours, plus ils avançaient, plus il les faisait jouer fort. Il aperçoit une *vieille fille* sur la plate-forme qui dansait.
— *Envoyez fort*.

Tit-Jean attache son *bâtiment* comme il faut, et il va la rejoindre.

137

— Qu'est-ce que tu viens faire ici, toi?

— Je venais pour chercher la princesse du roi.

— La princesse du roi, tu l'auras pas, certain que tu l'auras pas.

— Qu'est-ce qu'il faudrait faire pour l'avoir?

— Il y a une montagne là, si tu es capable de la mettre *planche* pour me faire un beau jardin dedans, aussi beau comme le mien, tu regarderas passer la princesse dans le *châssis*. Tu viendras sur la *galerie*, et tu la regarderas passer.

— *C'est à croire*! Je pourrai pas lui parler?

— Ah! non.

— Venez me montrer où est votre montagne.

Elle part avec lui, et elle va lui montrer ça. Il dit:

— Ça, cette montagne-là, c'est pas possible, ça se *démanche* pas.

— Bien, tu la verras pas passer.

— *C'est bon.*

Elle part et s'en va. Tit-Jean prend sa *barbe* de géant et puis dit:

— Je souhaite par la vertu de mes géants qu'ils soient tous alentour de moi.

En disant ça, ils étaient tous alentour de lui.

— Qu'est-ce que vous voulez, maître?

— Je veux que vous me mettiez cette montagne bien *planche*.

Ah! voilà les géants partis à travailler; ça prenait pas de temps, ils étaient une grosse *gagne*. Ils *aplanchissent* la montagne comme il faut. Tit-Jean part et va trouver la *vieille fille*.

— Ah! la montagne est pas *planche?*

— Venez la voir, je viens vous chercher pour vous la montrer.

Elle part et va voir.

— Comment ça se fait, tu *es* donc bien *capable* toi, mettre cette montagne-là *planche* si vite!

138

— Je *suis* pas *capable* beaucoup, mais je l'ai mise *planche*.
— Maintenant, viens voir passer la princesse dans le *châssis*.

   Il était sur la *galerie*, elle dit:
— Regarde, elle va passer dans le *châssis*.

   Maudit! il la trouvait belle.
— Comment m'y prendre pour l'avoir?
— Bien, tu vas parler cinq minutes avec elle si tu me fais le plus beau jardin que tu as jamais vu. Je vais te fournir tout ce que tu vas avoir besoin, toutes les fleurs que tu vas avoir besoin.

   Il part et s'en va encore à la montagne. Il fait venir ses géants.
— Qu'est-ce que vous voulez, maître?
— Ce que je veux, que vous me faites le plus beau jardin, les plus beaux carrés, puis les plus beaux rangs.

   Ça se met à l'ouvrage, voilà qu'ils se mettent à faire des carrés, puis des rangs. Quand ils ont fini, il va voir sa *vieille fille*.
— Tu as pas fini?
— Venez voir, je viens vous chercher.

   Toujours, elle part et va voir. Elle trouvait qu'il y avait des beaux carrés, mais ils étaient pas nivelés.
— Bien, maintenant, il faut que tu les nivelles pour que ce soit d'aplomb, partout.
— Ah! oui.
— Quand ce sera bien fait, tu viendras me le dire.

   Là, il prend sa *barbe* de *frémilles*, et demande:
— Qu'est-ce que vous voulez, maître?
— Je veux que vous m'arrangiez ces carrés-là bien unis, qu'il y ait pas de *bosses*.

139

Voilà les *frémilles* qui se mettent à travailler. Ça prend pas trop de temps, elles étaient une grosse *gagne*. Elles mettent ça bien beau, bien plus beau que la *vieille fille*. Elle lui avait donné ses graines de fleurs, et il les avait toutes semées avant d'aller la chercher, et à mesure qu'il les semait, ça levait. Quand tout a été fini, il va chercher la *vieille fille*. Elle dit:
— Ah! tu as pas eu le temps! Ça a pas eu le temps de lever, ni rien!

Elle part et va voir.
— Tit-Jean, tu as le plus beau jardin que j'ai jamais vu. Viens à la maison, tu vas parler cinq minutes à la princesse.

Il part et va lui parler cinq minutes. Elle était à la porte, elle le guettait à la porte. Là, il lui parle, mais dans cinq minutes on a pas grand discours. La *vieille fille* le fait sortir.
— Tu lui as parlé cinq minutes?
— Oui. Comment s'y prendre pour l'avoir, la princesse?
Elle se met à penser, et elle dit:
— Si tes pigeonnes sont capables d'aller me chercher de l'*eau de vie* avant les miennes, tu vas l'avoir. Puis, si tes pigeonnes sont pas capables d'aller la chercher avant les miennes, tu l'auras pas.

Il prend sa plume de pigeonne et dit:
— Je souhaite par la vertu de mes pigeonnes, de les avoir toutes à moi.

En disant ça, toutes ses pigeonnes étaient à lui.
— Qu'est-ce que vous voulez, maître?
— Bien, je veux que vous alliez chercher de l'*eau de vie* avant les pigeonnes de la *vieille fille*.
— Ah! moi, j'ai mal dans une patte...
— Moi, j'ai mal dans une aile...
— Moi, j'ai mal dans le cou...

140

— Moi, j'ai mal à la tête...

Pas une pouvait y aller. Il voit venir une vieille pigeonne, ça venait bien tranquillement, elle dit:
— Qu'est-ce que vous voulez, maître!
— Bien, ce que je veux, c'est d'aller chercher de l'*eau de vie* avant les pigeonnes de la *vieille fille*. Les autres sont pas capables d'y aller, elles sont toutes malades.
— Bien, je vais essayer d'y aller; donne-moi une bouteille.

Elle prend une bouteille, mais elle fait pas bien long, elle se branche. Elle guettait la pigeonne de la *vieille fille*. Elle l'a vue venir. Elle avait pris une bouteille d'*eau endormi*. Elle dit à la pigeonne de la *vieille fille:*
— Viens ici un peu; tu vois bien, moi je suis rendu rien qu'ici, que j'ai pas ma bouteille pleine d'*eau de vie*. Tu as été trop vite, repose-toi un peu. Tiens, je vais te donner une petite *ponce*.

Elle lui donne sa bouteille, et la pigeonne de la *vieille fille* boit l'*eau d'endormi*. Là, elle prend l'*eau de vie* de la pigeonne de la *vieille fille*, puis la met dans sa bouteille, et elle s'en va. Là, elle se dépêchait la vieille. Au bout d'une *secousse*, l'autre se réveille, elle avait plus rien dans sa bouteille; elle retourne chercher de l'*eau de vie*. Comme elle arrivait, la vieille pigeonne de Tit-Jean arrivait aussi. Elle donne sa bouteille avant celle de la *vieille fille*.
— Ah! bien, Tit-Jean, tu vas l'amener. Elle me l'a donnée avant. Et toi, qu'est-ce que tu as fait, tu as coutume d'être plus vive que ça?
— Bien, parlez-moi-s'en pas, je volais trop bas, je me suis *toqué* une aile contre un arbre, je me suis fait trop mal, c'est ce qui m'a retardée.

Ah! Tit-Jean avait sa princesse. Là, il remercie la *vieille fille,* puis il a *embarqué* vitement la princesse, et a dit à ses musiciens:

141

— *Envoyez sur la musique, envoyez fort,* bien fort.
— Ah! oui.

Voilà la musique *partie.* Il prend la mer et s'en vient. Là, il raconte tout son voyage à la princesse, comment cela était arrivé, à partir de chez eux, et tout ce qu'il avait été chercher pour plaire au roi. La princesse dit:
— C'est pas lui que je vais marier, c'est toi que je vais marier. C'est toi qui es venu me chercher.

Le roi savait l'heure et la minute qu'ils étaient pour arriver. Le roi attelle ses quatre chevaux sur son plus beau carrosse et il va les rejoindre. La princesse avait dit:
— C'est avec toi que je vais *rester,* ce sera pas avec lui.

Le roi arrive à eux. Il les fait *embarquer;* la princesse saute avec Tit-Jean dans le carrosse, l'autre ça lui faisait pas du tout. Il les amène au château. Elle faisait pas de cas du filleul, pas du tout. Ça faisait quinze jours, trois semaines de ça, le filleul encore bien triste, puis le roi lui dit:
— Tu t'ennuies encore?
— Oui, je m'ennuie encore.
— On va aller faire un tour dans la forêt. Ils partent; ils passent près d'une source.
— Arrêtez un peu, je vais boire.
— Tu vas rester mort ici, c'est poison cette eau-là.
— Tit-Jean s'est vanté qu'il en boirait.
— *Paroles de roi,* il va en boire.

Il s'en va au château et fait venir Tit-Jean.
— Tu t'es vanté que tu boirais de l'eau *poisonne*?
— Non, je m'en suis pas vanté, mais s'il le faut je peux bien en boire.
— Bien, *greye*-toi, on va y aller en boire.

142

La princesse restait près de Tit-Jean. Le filleul du roi suivait le roi. En arrivant à la source, elle prend Tit-Jean par les cheveux, puis elle le *sauce* dans la source, et elle le sort et lui donne de l'*eau de vie*. Mon Tit-Jean vit. Ensuite elle dit:

— Maintenant, sire mon roi, votre filleul va faire de même.

Il y en a un qui te le *gaffe,* puis te l'envoie dans la source, puis il lo *calc* par-dessus la tête et le tient là.

Là, ils sont partis, se sont en allés au château. Tit-Jean s'est marié. J'ai été à ses noces, puis ils m'ont envoyé vous conter ça.

VIII

LA BEAN

Le conte qu'Isaïe Jolin intitule "la Bean" (1), est très connu dans le monde. On l'a recueilli en Asie, en Europe, en Afrique et en Amérique.

Un pauvre homme qui a autant d'enfants qu'il y a de roches sur sa terre ne sait plus à qui demander de l'aide; il décide d'aller demander la charité au bon Dieu. Celui-ci, par l'entremise de saint Pierre, lui remet d'abord une table magique qui s'*encomble* de nourriture, puis un âne qui *crotte* de l'or, et finalement un bâton qui frappe sans merci. Grâce à ce bâton, le pauvre homme pourra reprendre sa table et son âne, qu'il s'était fait voler, et donner une leçon à sa femme incrédule.

Dans ce récit de notre conteur, Dieu est reconnaissant pour ceux qui ont beaucoup d'enfants, et la demande faite à Dieu prend la forme connue de l'expression populaire répétée par le quêteux québécois: "La charité pour l'amour du bon Dieu". A la fin, Dieu punit les voleurs en remettant un bâton pour les frapper. Ce conte n'est pas non plus sans nous rappeler que dans la mentalité populaire, il faut se méfier des étrangers.

---

1. Aarne-Thompson, c-type 563, "la Table, l'Ane et le Bâton". 23 versions sont cataloguées aux A.F., U.L.

145

ne bonne fois je vais vous conter, vous raconter, tant de vérités, tant de menteries, plus je mens plus je veux mentir.

C'était un homme qui avait autant d'enfants qu'il y avait de roches sur sa terre. Il était rendu qu'il avait de la misère à les faire vivre. Il se met à semer des *beans*. Il y en a une qui se met à monter, puis elle montait. Elle monte jusqu'au firmament. Il dit à sa femme:

— Je m'en vais demander la charité au bon Dieu.

— *Cré vieux fou*, voir si tu vas aller demander la charité au bon Dieu maintenant. Que ça prend un *vieux fou* comme toi pour faire ça!

— Ah! j'y vais.

Il prend sa *bean*, puis monte, puis monte. Il arrive au paradis, et il cogne à la porte de saint Pierre.

— Qu'est-ce que vous voulez?

— Bien, moi, je suis l'homme qui a(i) autant d'enfants que j'ai de roches sur ma terre. Je suis plus capable de les faire vivre. Je viens demander la charité au bon Dieu.

— Ah! je vais aller le dire au bon Dieu; vous allez l'avoir la charité.

Saint Pierre part, puis va parler au bon Dieu:

— Qu'est-ce qu'on va lui donner?

— Ah! donne-lui cette table-là, puis dis-lui qu'il aura rien qu'à dire "Table, table, *encomble*-toi!" puis elle va s'*encombler*.

Toujours, saint Pierre part, puis il va lui donner la table. Il était plus capable de redescendre sa table avec sa *bean*. Il *prend le chemin*. Puis quand il fut rendu au *mitan* du chemin, il se dit: "Il va falloir que j'essaie ma table". "Table, table, *encomble*-toi!" En disant ça, la table était *encomblée* de

147

"Il arrive au paradis, et il cogne à la porte de saint Pierre.
— Qu'est-ce que vous voulez?
— Bien, moi je suis l'homme qui a(i) autant d'enfants que j'ai de roches sur ma terre."

toutes sortes de *mangers*. Il se dit: "Là, je vais vivre avec ça".

Toujours, il part. Il arrive à la *brunante* à l'hôtel, puis il demande à loger. Il dit:
— Je suis pas seul.
Le maître d'hôtel dit:
— Qu'est-ce que vous avez?
— J'ai une table.
— Mettez-la là.
— Dites pas:"Table, table, *encomble*-toi!" Dites pas ça.
— Ah! non.

Il y avait la *servante* qui était là, elle écoutait ça. Puis quand ça vient neuf heures, il fallait se coucher. Il dit:
— S'il y avait un lit, moi je suis fatigué, j'irais bien me coucher.

Toujours, il monte à sa chambre, et il y avait un beau lit blanc. Il se couche, puis il s'endort. Il se met à ronfler. La *servante* dit au maître d'hôtel:
— C'est le bon temps, on essaie sa table.
— Comme tu voudras.
— "Table, table, *encomble*-toi!"
En disant ça, la table était *encomblée*. Elle dit:
— Ce serait commode pour nous autres ça, cette table-là, gardons-la.
— Oui, mais c'est pas à nous autres.
— On en a une pareille, prenons-la, et mettons la nôtre à la place.

Elle prend la table, puis elle la change. Le lendemain matin, il part avec ça sur le dos. La bonnefemme était dans le *châssis*, elle le voit venir. Elle dit à ses enfants:
— Regardez le *vieux fou* qui s'en vient avec une table. Il croit vivre avec une table. Eh! *vieux fou* de *vieux fou*.

Il arrive à la maison. Elle dit:

— *Vieux fou*, qu'est-ce que tu veux faire avec cette table-là?

— Tu vas voir bientôt, attends tu vas voir. Viens voir.

— "Table, table, *encomble*-toi!"

Elle s'*encomblait* pas. Il dit encore:

— "Table, table, *encomble* toi!"

Elle s'*encomblait* pas.

— "Table, table, *encomble*-toi!"

Elle s'*encomble* pas. Il dit:

— Ah! ce sont des tours qu'ils m'ont joués, ils me l'ont volée. Je vais encore retourner demander la charité au bon Dieu.

Il part, puis il monte en haut encore (dans sa *bean*). Il arrive à la porte de saint Pierre, il cogne à la porte.

— Bonjour monsieur. Qu'est-ce que vous voulez aujourd'hui?

— Moi, je suis l'homme qui a(i) autant d'enfants qu'il y a de roches sur ma terre, je voudrais la charité du bon Dieu.

— Bien, on t'a donné une table.

— Elle m'a été volée.

— Je vais aller parler de ça au bon Dieu.

Il part, et saint Pierre dit au bon Dieu:

— Qu'est-ce qu'on va lui donner, là?

— On va lui donner cet âne-là, puis il aura rien qu'à dire: "Ane, âne, *débourre*-toi!" puis il va lui envoyer de l'argent.

— *C'est bon*.

Là, il prend l'âne, puis il va lui donner. Il dit:

— Tu auras rien qu'à dire: "Ane, âne, *débourre*-toi!"

Il part avec ça. A peu près à la même place d'hier, il se dit: "Faudrait

150

bien que j'essaie mon âne". "Ane, âne, *débourre*-toi!" En disant ça, il sort un gros *tas* d'argent. "Je vais vivre avec ça!" Il arrive à l'hôtel, puis demande à loger.
— Ah! oui.
— Je suis pas seul.
— Qu'est-ce que tu as?
— J'ai un âne.
— Bien, on va aller le mettre à l'étable.

Ils s'en vont mettre ça à l'étable. La *servante* suivait pour savoir ce qu'il allait dire. Il dit:
— Par exemple, je veux pas que vous dites: "Ane, âne, *débourre*-toi!"
— Ah! non.

Ils partent et s'en vont à la maison. Quand ça vient neuf heures, il s'endormait, il voulait se coucher. Ils partent, ouvrent une porte de chambre.
— Tiens, couche-toi.

Il s'endort. Quand il a été bien endormi, la *servante* dit:
— On va essayer l'âne.
— Je m'en *foute* bien.

Ils partent puis ils s'en vont à l'étable. Elle dit:
— "Ane, âne, *débourre*-toi!"
En disant ça, mon Dieu! un gros *tas* d'argent! Elle dit:
— On en a un pareil, pourquoi on le garderait pas, puis on mettrait le nôtre à la place.
— Ah! c'est pas à nous autres.
— Mais pour nous autres, ça ferait bien pour le maître d'hôtel.
— Fais comme tu voudras.

Elle prend l'âne, et elle met l'autre à la place. Le lendemain matin, il prend l'âne, puis il s'en va. Sa femme le voit venir:
— Regardez-le venir encore avec un âne. Le *vieux fou* qui s'en vient maintenant, qu'est-ce qu'on va faire avec un âne? *Vieux fou*, de *vieux fou*.

Il arrive à la maison, elle lui dit:
— *Cré vieux fou*, qu'est-ce que tu veux faire avec cet âne-là?
— Attends un peu, je vais te le montrer.
   Il se fait une belle place là, puis il dit:
— "Ane, âne, *débourre*-toi!"
   L'âne lâche un paquet de fumier.
— "Ane, âne, *débourre*-toi!"
   Encore un paquet de fumier.
— Ils m'ont encore volé mon âne. Je vais encore aller demander la charité au bon Dieu.

Il prend sa *bean*, puis il monte en haut. Il arrive à la porte de saint Pierre.
— Qu'est-ce que tu veux?
— Moi, je suis l'homme qui a autant d'enfants qu'il y a de roches sur ma terre.
— On t'a donné une table et un âne.
— Bien, tout ça m'a été volé.

Saint Pierre va trouver le bon Dieu, et lui dit que sa table et son âne lui ont été volés.
— Qu'est-ce qu'on va lui donner?
— Tiens, voilà un bâton, on va lui donner. Il aura rien qu'à dire: "*Fesse, fesse*, bâton!"

Il prend le bâton, puis il va le donner au bonhomme. Il lui dit:
— Tu auras rien qu'à dire: "*Fesse, fesse* bâton!" puis il va *fesser*.

Il était pas encore capable de descendre dans sa *bean* avec ça. Il part encore, puis prend le même chemin. Rendu à la même place, il se dit: "Faudrait bien que j'essaie mon bâton". Il dit: *"Fesse, fesse* bâton!" Voilà le bâton qui se met à *fesser.* Ça *fessait.* Là, il arrête son bâton, puis il marche. Arrive au soir à l'hôtel avec ça. Il dit:
— Je peux coucher ici ce soir?
— Oui.
— Ah! mais je suis pas seul.
— Qu'est-ce que tu as?
— J'ai un bâton.
— Mets-le dans le coin, là.
— Oui, mais je veux pas que vous dites: *"Fesse, fesse* bâton!"

La *servante* entendait ça. Quand ça vient neuf heures, il dit:
— Si j'avais un lit, je me coucherais bien.

Ils ouvrent une porte:
— Tiens, un beau lit blanc, couchez-vous.
Là, il se met à ronfler, puis il ronflait. La *servante* dit au maître d'hôtel:
— Ce serait le bon temps d'essayer le bâton. *"Fesse, fesse* bâton!"
Voilà le bâton qui se met à *fesser* sur elle. Là, ça *vargeait.* Il achevait de la tuer. Elle dit:
— Allez lui dire qu'il vienne arrêter son bâton. Faut qu'il l'arrête.

Il réveille le bonhomme.
— Votre bâton *fesse* sur ma fille, venez l'arrêter.
— Si vous me donnez ma table, puis mon âne, je vais l'arrêter.
En disant ça, il dit: *"Fesse, fesse* encore bâton!"
Il *fessait* encore. Bien, il dit:
— Arrête-le ton bâton, on va te donner ta table et ton âne. Arrête ton bâton.

153

Il arrête le bâton.

Le lendemain matin, il prend sa table, puis son âne, puis il s'en va. La bonnefemme qui le voit venir de loin, elle dit:
— Regardez-le, le *vieux fou* qui s'en vient avec une table encore, puis un âne et un bâton. Qu'est-ce qu'il veut faire avec ça?

Il arrive à la maison. Elle le traite encore de *fou*. Il dit:
— Laisse faire, tu vas voir aujourd'hui, ce ne sera pas la même chose. Regarde qu'est-ce qu'il va venir dessus.
— "Table, table, *encomble*-toi!"
En disant ça, *mondain*, la table était *encomblée* de manger. Là, elle *reste bête*.
— Puis ton âne?
— Arrête un peu, je vais te montrer ça. Arrange ça comme il faut pour ne pas perdre d'argent, là.
— "Ane, âne, *débourre*-toi!"
En disant ça, il sort un *mondain* de *tas* d'argent. Il dit:
— Hein! bonnefemme, je suis *fou*, hein!
— Tu m'as pas montré ton bâton?

Il prend son bâton, puis il dit:
— "*Fesse, fesse* bâton!"
En disant ça, voilà le bâton qui se met à *fesser*, puis *fesse* sur la bonne-femme.

Puis moi, il m'a envoyé un coup de bâton par la tête, puis ils m'ont envoyé te conter ça.

IX

LA VEUVE ET LES TROIS ENFANTS

Le conte "la Veuve et les Trois Enfants" (1) n'est pas sans rappeler des souvenirs de lecture, puisqu'il est passé dans les documents écrits à plusieurs reprises depuis le Moyen Age. Ceux qui en ont fait la trame de leurs contes littéraires ont surchargé le texte folklorique original d'éléments et d'épisodes complémentaires.

Les versions orales transmises de bouche à oreille ont cependant conservé leur forme originale en Europe, en Chine, aux Philippines, en Indonésie, en Afrique du Nord et en Amérique.

Isaïe Jolin nous transmet ici une forme simplifiée de ce conte populaire: il conserve les quatre épisodes de base du conte (la découverte d'objets magiques, leur perte, la découverte de fruits merveilleux et la récupération des objets magiques), mais il laisse tomber certains motifs dont il ne peut se souvenir. De plus, il ne reste pratiquement rien de "royal" dans le récit; ce n'est pas dans un château que se rendent les trois frères, mais sur une montagne de bois; et la princesse ressemble plutôt à une "vilaine créature".

Isaïe Jolin donne une touche personnelle au dénouement. Il ne nous fait pas assister au mariage du héros avec la princesse délivrée, comme le font la plupart des conteurs des autres continents, mais plutôt à la vengeance du héros envers la princesse. En effet, celle-ci sera battue par Tit-Jean, et finalement, elle sera changée en lion et lâchée en forêt.

---

1. Aarne-Thompson, "les Trois Objets magiques et les Fruits merveilleux", c-type 566. 21 versions sont cataloguées aux A.F., U.L.

ne bonne fois, je vais vous conter, vous raconter, tant de vérités, tant de menteries, plus je mens, plus je veux mentir.

C'était une femme qui avait trois garçons. Ils étaient bien pauvres, pauvres, pauvres. Leurs marraines viennent chez eux, et se mettent à dire:

— Bande de *hères* que vous êtes, allez donc chercher votre héritage qui est sur la montagne. Vous avez de l'argent là pour vivre tout le temps de votre vie.

— Ah! oui, on va y aller.

Mais ils y allaient pas. A tous les jours, elles allaient leur *mener le diable*.

Toujours qu'ils se sont décidés. Ils partent deux, mais Tit-Jean voulait y aller aussi. Ils voulaient pas l'avoir.

— Maman, moi aussi j'y vais.

Toujours, elle lui *greye à manger* et à force de courir, il les rattrape. Le plus vieux lui donne une bonne *volée* pour le faire revirer, mais il y avait pas de *revirage*, il y allait. Le deuxième dit:

— Tu vois bien que c'est pour rien de le battre. Arrête donc de *fesser*.

Ils arrivent sur la montagne, il y avait une petite bâtisse, là. Ils se couchent. Le lendemain matin, ils voient un panier. Le plus vieux se recule et lui *maudit un coup* de pied. Qu'est-ce qu'il y avait en dessous? Une bourse d'argent.

Le deuxième dit:

— Je vais toujours bien donner un coup de pied sur le panier moi aussi.

Qu'est-ce qui arrive? Un porte-voix.

Le troisième donne un coup de pied au panier. Ce qu'il trouve? Une *sline*; une *sline* qu'on se mettait autour du corps, puis qui transportait la personne sur son souhait. Seulement à le souhaiter, et la personne était rendue.

157

Là, ils partent et disent:

— On va toujours bien essayer la *sline*.

Celui-là qui avait la *sline* dit:

— *Poignez*-vous après la *sline*, puis tenez-vous bien, et je me souhaite par la vertu de ma *sline* d'être rendu chez nous.

En disant ça, ils étaient rendus à la petite bâtisse. Alors, il dit:

— Puisque c'est comme ça, ça va être commode!

Là, Tit-Jean s'*enharde* comme il faut, puis il va voir une princesse. C'est lui qui avait la *sline*. Puis il était toujours là à se regarder. La princesse dit:

— Qu'est-ce que tu as donc à tant te regarder?

— Ah! j'ai une belle *sline*. Avec cette *sline*-là, j'ai rien qu'à souhaiter d'être rendu où je veux, puis je suis rendu.

— Moi, est-ce que ça ferait pareil?

— Ah! oui.

— Montre-moi-la donc voir!

Puis elle dit:

— Je me souhaite par la vertu de ma *sline* d'être rendue dans la chambre de mon père.

En disant ça, elle était rendue. Elle dit à son père:

— Allez me jeter cet homme-là dehors, qui vient de m'insulter.

Le roi part, puis il va le jeter dehors.

Il retourne *chez eux*, puis il se met après son frère pour avoir la bourse d'argent.

— Ah! ça va être volé ça; tu l'auras pas.

— Ah! non, ça sera pas volé.

Toujours, il vient à bout de l'avoir. Il part et retourne voir la princesse. Là, il *poignait* des poignées d'argent, puis il jetait ça à terre. Elle dit:

158

— Tu as donc bien de l'argent pour jeter ça à terre; vous autres qui étiez si pauvres!

— Ah! oui, mais j'ai une bourse qui se vide jamais.

Il *poigne* sa bourse, puis il fait ça de même (il la tourne à l'envers), et ça se vidait pas.

— Est-ce que ça ferait pareil moi?

— Ah! oui.

— Montrez-moi-la donc!

En mettant la main dessus, elle dit:

— Je me souhaite d'être rendue dans la chambre de mon père.

Elle lui dit:

— Allez m'envoyer ça dehors, cet homme-là, qui vient de m'insulter encore.

Le roi part et va le jeter dehors.

Ensuite, il *se met en frais* d'avoir le porte-voix qui avait mille hommes à son service. Il vient à bout de l'avoir. Il part et s'en va chez le roi. En arrivant à la porte du roi, il lâche trois cris avec le porte-voix. Il y avait trois mille hommes à son service. Puis là, il entre dans le château. La princesse dit:

— Qu'est-ce que ça veut dire ça? Est-ce que ça ferait pareil pour moi, *crier* avec ce *porte-voix* là?

— Ça ferait *pareil comme* pour moi. Vous auriez mille hommes à chaque cri de porte-voix.

— Montrez-moi-le donc voir!

En mettant la main dessus, elle dit:

— Je me souhaite d'être dans la chambre de mon père.

Elle dit encore:

— Jetez-moi donc cet homme-là dehors, qui vient de m'insulter encore.

Là, il avait tout perdu. Il se dit: "Je vais pas chez nous, je vais me faire tuer". Il *prend un chemin de bois*, puis marche. Le soir il était bien fatigué, il se couche au pied d'un arbre. Il aperçoit un arbre au-dessus de lui. Il se dit: "Moi qui ai tant faim, je vais toujours en manger". Il en prend trente *brins*, puis il les mange. Il se réveille, monsieur, avec trente brasses de nez. Il en avait du nez! Il dit: "Comment je vais faire pour marcher avec ça"?

Toujours, qu'il se tortille ça autour du corps, puis marche encore. Le soir il était encore bien *resté* de traîner ça. Il se couche encore au pied d'un arbre. Puis, il aperçoit que c'était encore un arbre de raisins. Bien, il se dit: "Si j'en mange encore, et que j'ai soixante brasses, je pourrai pas le traîner. J'ai faim, j'en mange". Il se prend trente *brins de raisins*, puis les mange. Quand il se réveille, il n'avait plus de nez. Il dit: "Ah! c'est *smatte* ça".

Il part, puis marche et puis marche. Le soir il était encore fatigué. Il se couche au pied d'un arbre. Il aperçoit un arbre de pommes. Tit-Jean pense: "Ah! ça va être bon ça, par exemple". Là, il mange une pomme, puis il se couche. Il se réveille gros lion. Il dit: "Bien ça va courir, par exemple".

Ça part ça, monsieur! Ça va jusqu'au soir de même. Il était fatigué. Il se couche encore au pied d'un arbre. Il aperçoit un arbre de pommes. Il dit: "Je vais toujours bien manger encore une pomme". Il monte dans l'arbre, mange une pomme, puis il se couche. Il se réveille, il n'était plus lion. Il était tout revenu. "Bien, ça va être commode pour moi là." Il se ramasse des pommes contre le lion (qui enlevaient le lion.) Il s'en va, puis il se ramasse des pommes qui mettaient en lion. Puis il va à l'arbre de raisins qui ôtait le nez, puis il en ramasse. Ensuite il va à l'autre arbre de raisins qui donnait du nez, et il s'en ramasse encore.

Il *descend* à la ville, puis il s'habille comme il faut, autrement que *de coutume*. Là, il se met une *calotte*: "*meilleur docteur du monde*". Il part et

160

"*Là, il se met une calotte:* "meilleur docteur du monde". *Il part et s'en va chez le roi. Puis il vend du raisin, trente* brins *au roi, puis à la reine, puis à la princesse.*

s'en va chez le roi. Puis il vend du raisin, trente *brins* au roi, puis à la reine, puis à la princesse. Les voilà qui se réveillent avec trente brasses de nez. Ah! écoute un peu! Ça faisait pas leur affaire beaucoup.

Tit-Jean retourne au château pour leur vendre du raisin.
— Non. Ça nous a donné du nez ce raisin-là.
— Ah! non, pas celui-là que je vais vous vendre. Il donne pas de nez. Je me suis trompé tantôt, faut croire. Vous aurez pas de nez, certain.

Toujours, ils se décident d'en prendre. Le roi, il en prend trente *brins*, la reine en prend trente *brins* aussi, et il en donne seulement vingt *brins* à la princesse.

Ils se couchent; ils se réveillent plus de nez. La princesse en avait encore dix brasses. Tit-Jean y retourne et dit:
— Ah! vous, vous avez du *butin* qui vous appartient pas, votre nez serait parti *pareil comme* celui de votre père puis de votre mère.
— Ah! non, le *butin* que j'ai là, il m'appartient tout.
— Non, vous avez du *butin* qui vous appartient pas. Comprenez-vous?

Toujours, elle vient à bout de dire oui.
— Donnez-moi ce *butin*, et votre nez va partir.

Elle lui donne la bourse, le porte-voix et la *sline*. Il se la met autour du corps. Il lui prend le nez, se le tortille dans les mains, puis il se met à la battre avec ça. Il la sort dehors, lui donne une pomme, puis il la lâche *lousse*. Faut qu'elle *prenne le bois*, c'était un lion. Lui, s'en est allé *chez eux*, puis ils m'ont envoyé vous conter ça.

X

LE PETIT RUBAN BLEU

"Le Petit Ruban bleu" (1) est à l'origine d'une étude importante sur le problème de la présence et de la diffusion des contes d'origine européenne parmi les Amérindiens. Le professeur Luc Lacourcière, auteur de cette monographie (2), démontre la provenance française d'une version de ce conte, retrouvée chez les Indiens Chippeweyans de Saskatchewan. Ce conte qui se retrouve surtout dans l'est de l'Europe, donne aussi l'occasion à l'auteur de faire une étude comparée de quarante-sept versions canadiennes-françaises cataloguées aux Archives de Folklore et retrouvées au Québec, au Nouveau-Brunswick et en Ontario.

Ce récit d'Isaïe Jolin n'est pas sans nous rappeler sans doute l'histoire de Samson, puisque notre héros, devenu fort grâce à un ruban qu'il porte autour du corps, sera un jour trahi par une femme, sa mère. Ses ennemis, des géants, lui crèveront les yeux. A la façon de Samson qui anéantit ses ennemis en mourant, Tit-Jean retrouve finalement sa force, tue les géants et sa mère, en l'écartelant de ses mains. Il met ensuite le feu à la maison, disant: "Plus personne n'entrera ici".

Mais là où le conte s'éloigne de l'histoire sainte pour se rattacher davantage au merveilleux, c'est lorsque le héros délivre une princesse, qu'il est secouru par une lionne et qu'il retrouve la vue en buvant dans une source magique.

---

1. Aarne-Thompson, c-type 590, "le Ruban qui rend fort".
2. "Le Ruban qui rend fort", dans *Cahier des Dix*, no 36,1971, p. 235-297.

ne bonne fois, je vais vous conter, vous raconter, tant de vérités, tant de menteries, plus je mens, plus je veux mentir.

C'était une femme qui était veuve, et elle avait un petit garçon qu'elle portait dans ses bras. Il était trop jeune pour marcher. Elle ne savait pas comment s'y prendre *pour vivre.* Toujours, elle prend son enfant, puis elle *prend le bois.* Marche et marche. Comme de raison, l'enfant la fatiguait, elle l'avait toujours dans ses bras.

Un bon coup, elle était fatiguée *à plein*, elle le met à terre, puis elle *s'assit* sur un petit corps d'arbre, et elle s'endort. Le petit garçon avait vu un petit ruban bleu plus loin, il dit:
— Maman, va chercher ça.
— Ah! non, le *butin des autres,* on laisse ça là.

Elle s'endort, puis lui part et va le chercher, puis il se le met autour du corps. En se le mettant autour du corps, il avait une force énorme. Quand elle se réveille, il dit:
— Maman, mets-toi sur mon dos.
— Ah! je viens de te porter dans mes bras jusqu'ici, je suis pas pour me mettre sur ton dos.
— Mets-toi sur mon dos.
Elle fait semblant, tu sais, pour lui plaire, elle le *poigne* de même, lui la *poigne* par en arrière, puis il part à marcher. Ça marche. Elle trouvait ça curieux, elle venait de le porter dans ses bras, et il la portait lui-même. Ils marchent jusqu'au soir, et arrivent à une grosse maison. Là, ils entrent; il y avait personne. Elle dit:
— Va voir au grenier. *Prends l'escalier*, et puis va voir.

Il part et monte là. Il y avait trois géants, trois gros géants. Ils disent:
— Qu'est-ce que tu viens faire?
— C'est ma *mouman* qui a faim.
— Qu'est-ce que c'est une *mouman*?
— Venez voir.
— Tu as donc bien l'air hardi, toi mon petit garçon?
— Ah! je suis pas hardi, mais je suis pas peureux non plus.

Là, ils descendent, puis ils aperçoivent la bonnefemme. Ils *prennent* une grosse *amitié* tout de suite *dessus*. Mais ils redoutaient le petit *gars*. Ils *restent* là toujours un trois semaines, un mois. Ils ont dit à la bonnefemme:
— Comment s'y prendre pour s'en débarrasser de ce petit gars-là? Il a l'air fort *effrayant*.
— Ah! oui, il est fort *effrayant*, certain. Je le portais dans mes bras, puis tout d'un coup, il m'a *poignée* et m'a *embarquée* sur son dos, et il s'est en venu ici. Je sais pas ce que ça veut dire.

Toujours, ils disent:
— On va essayer de s'en débarrasser. Fais la malade, et on va l'envoyer dans le jardin avec les quatre-vingt-dix-neuf chiens. Tu vas voir qu'il reviendra plus.

Voilà sa *mouman* malade.
— Qu'est-ce que tu as *mouman*?
— Ah! je suis malade.
— Qu'est-ce qu'il te faudrait pour te *ramener*?
— Il me faudrait des pommes du jardin des quatre-vingt-dix-neuf chiens. Puis c'est malaisé d'aller là.
— Je vais y aller. Par où passer pour aller là?
— Demande-le aux géants.

Il monte demander aux géants.

166

— Quel chemin prendre pour aller dans le jardin des quatre-vingt-dix-neuf chiens?

— Droit ici, passe droit, puis va droit.

— *C'est bon.*

Toujours qu'il part. Il arrive au jardin des quatre-vingt-dix-neuf chiens. Ils étaient tous à terre qui dormaient. Il va se chercher des pommes, et il se dit: "Il y a peut-être du monde dans cette bâtisse-là". Il part, puis il va voir. Il y avait une fille là qui dormait. Tous les midis, elle dormait pendant six heures de temps. Il essayait de la réveiller, mais il était pas capable. Il se dit:"Elle est morte". Il voit sur le bureau son mouchoir et puis ses joncs; il prend ça, et met ça dans ses poches. Puis il *prend l'escalier* pour descendre ensuite. Les quatre-vingt-dix-neuf chiens qui se réveillent.

— Ah! qu'est-ce que tu es venu faire ici, toi?

— Ah! je suis venu chercher des pommes.

— On va t'en *faire des pommes.*

— Moi aussi, je peux vous en *faire des pommes.*

Ils veulent le dévorer, il en *poigne* un par les pattes, puis il s'en sert pour tuer tous les autres. La bonnefemme s'en aperçoit, elle qui avait le double de force des autres chiens.

— Ah! toi comme les autres; j'ai tous tué tes garçons, je peux te tuer toi aussi.

Il en *poigne* encore un par les pattes, puis il tue la mère des chiens. Il part et s'en va. Les géants le guettaient pour voir s'ils l'auraient vu venir. Tout d'un coup, ils le voient venir.

— Qu'est-ce que ça veut dire, quatre-vingt-dix-neuf chiens, puis ils l'ont pas dévoré? On comprend pas ça. Faut qu'il *soit capable*, une chose épouvantable, pour ça.

— Tiens, *mouman*, avec ça, vas-tu être bien?

167

"Il se prend deux chaudières, puis il part avec ça. Il arrive aux lionnes.
— Qu'est-ce que tu viens faire ici?
— Je viens vous tirer.''

— Ah! oui.

Il se passe encore quelques semaines de même. Les géants ont dit à la bonnefemme:

— Pourtant, il faut s'en débarrasser. On va l'envoyer chercher du lait des trois lionnes. Fais la malade, et dis qu'il te faut du lait, autrement de ça tu reviendras pas.

Tout d'un coup, voilà la *mouman* malade.

— Qu'est-ce que tu as *mouman*?

— Ah! je suis malade.

— Qu'est-ce qu'il te faudrait pour te *ramener*?

— Il me faudrait du lait des trois lionnes.

— Bien, je vais aller vous en chercher. Quel chemin prendre pour aller là?

— Je le sais pas, demande aux géants.

Il monte en haut et dit:

— *Mouman* est malade, elle veut avoir du lait des trois lionnes. Quel chemin prendre pour aller là?

— Prends l'autre chemin qui est là, puis va droit.

Il se prend deux chaudières, puis il part avec ça. Il arrive aux lionnes.

— Qu'est-ce que tu viens faire ici?

— Je viens vous *tirer*.

— Arrête un peu, c'est nous autres qui allons te *tirer*. On va te dévorer nous autres.

— Venez donc, voir.

Elles essaient d'approcher, mais quand il mettait une main dessus, il te les virait de bord c'était pas long. Elles disent:

— Arrête, arrête un peu, *tire*-nous.

169

Là, il remplit ses deux chaudières, puis les lionnes lui disent:
— Tiens, Tit-Jean, si tu viens qu'à avoir besoin de nous autres, tu n'auras qu'à penser à nous autres, on sera à toi. On y verra à toi.
— Ah! oui.

Durant ce temps-là qu'il a été chercher ça, les géants se mettent à parler avec la bonnefemme.
— Qu'est-ce que ça veut dire qu'il *est* si *capable?*

Elle se met à penser, elle dit:
— Quand je suis venue ici, je le portais dans mes bras, puis il a vu un petit ruban bleu, et moi je me suis endormie; je sais pas s'il est allé le chercher. Quand je me suis réveillée, il m'a dit: "*Embarquez*-moi sur mon dos". Puis j'ai *embarqué* sur son dos, et il m'a *emportée* jusqu'ici.
— Il ne s'est pas encore déshabillé pour se coucher?
— Ah! non.
— Bien, dites-lui donc: "Tu es fatigué là, déshabille-toi, puis mets ton *butin* sur le pied de la *couchette*". S'il le met là, on va en *avoir soin* nous autres.

Toujours, Tit-Jean arrive.
— Tiens, *mouman*, allez-vous revenir maintenant? En voilà du lait des trois lionnes.
— Ah! oui, je vais revenir bien, là.

Quand vient le soir, elle dit:
— Tu t'es jamais *déchangé*, tu as jamais ôté ton *butin* de sur ton dos, depuis le temps que tu es arrivé ici.
— Ah! non.
— Bien, tu serais bien mieux pour te coucher d'ôter ton *butin*. Mets ça sur le pied de ta *couchette*.
— Ah! oui.

170

Il écoute sa mère. Il prend ça, puis met ça sur le pied de sa *couchette*. Il prend son petit ruban bleu, puis il le met là aussi. Le matin, les géants descendent sur le bout des pieds, puis ils *poignent* le ruban bleu, se le mettent autour du corps. Ils sentent une force énorme.

— Ah! on l'a. Lève-toi, Tit-Jean. Là, on a ta force. Qu'est-ce que tu aimes mieux: Aimes-tu mieux mourir, ou bien qu'on t'arrache les yeux de la tête?

— Ah! j'aime mieux que vous m'arrachiez les yeux de la tête, puis que vous me mettiez au bout de la *galerie* là-bas.

Toujours en disant ça, les yeux étaient partis de la tête. Ils le *poignent* et le mettent au bout de la galerie. Il pense à ses trois lionnes. Ses trois lionnes arrivent à lui.

— *Embarque*-nous sur le dos tout de suite.

Il leur saute sur le dos, puis les voilà partis. Marchent. Ils marchent un an et un jour sans arrêter. Au bout d'un an et un jour, ils s'arrêtent au bord de la mer, et ils entendent venir un bateau. Il prend un mouchoir rouge qu'il avait dans ses poches, il met ça au bout d'un bâton, puis il *jouait*. Le monde du bateau voit ça. Ils disent:

— Il y a un homme qui est mal pris, on va aller le chercher.

Il y en a un qui descend une *chaloupe* du bateau et ils vont vers Tit-Jean. Tout d'un coup, ils aperçoivent les trois lionnes, et disent:

— Eh! trois lionnes là, on va va se faire dévorer.

Tit-Jean dit:

— Non, non, non, elles sont pas *mauvaises*. Venez, elles sont pas *mauvaises*.

Toujours, ils approchent assez proche, et ils aperçoivent Tit-Jean pas d'yeux.

— Qu'est-ce que ça veut dire?

Il conte son histoire. Toujours qu'ils disent:

— Où est-ce qu'on va te mettre, toi?

— Bien, je le sais pas trop, au couvent, est-ce que je serais bien là?

— Oui, tu serais bien.

Ils le mettent au couvent. La princesse qu'il y avait dans le jardin des quatre-vingt-dix-neuf chiens était dans le couvent. Elle était allée se mettre au couvent par pénitence, pour venir à bout de trouver celui-là qui l'avait délivrée. C'était lui Tit-Jean qui l'avait délivrée. Il avait encore les mouchoirs de la princesse; il s'essuie. Il y a une religieuse qui le voit faire, le nom de la princesse était écrit sur le mouchoir. La religieuse s'en va dire cela à la princesse.

— Dites-lui donc de venir ici.

— Il a pas d'yeux.

— Dites-lui qu'il vienne pareil.

Elle le monte là, dans cette chambre-là.

— *Assis*-toi.

— Je vois pas pour m'*assir*.

Elle le *poigne* par un bras, puis elle l'*assit*. Elle se met à le *questionner sur tous les bords*. Il prend son mouchoir, puis il s'essuie. Elle voit son nom.

— Comment, c'est toi qui es venu dans le jardin des quatre-vingt-dix-neuf chiens?

— Oui, c'est moi qui y est (suis) allé. Puis ce sont les géants qui m'ont arraché les yeux de la tête, puis ce sont les lionnes qui m'ont ramassé et m'ont amené au bord de la mer. C'est le bateau ensuite qui m'a ramassé et amené ici.

— Bien, tu vas venir chez nous.

— Ah! non, non. Qu'est-ce que le roi va dire, un homme pas d'yeux?

— Il dira rien du tout.

172

— Ah! non.

Là, elle écrit à son père tel que c'était. S'il voulait qu'elle amène son homme, de venir la chercher. Le roi content! Il part et va la chercher. Toujours qu'il amène Tit-Jean malgré lui. *Du long* du chemin, ils voient un petit renard. Il arrivait près d'une souche, puis il tombait sur le derrière, puis il *toquait* la souche. Il arrivait près d'une autre souche, il arrivait le nez sur la souche, puis il tombait sur le derrière. Il arrive près de la clôture, il se *toque* après un piquet, puis il tombe sur le derrière. Toujours, il vient à bout de passer, puis il boit dans un petit trou d'eau. Quand il eut bu de l'eau, il arrive près de la clôture, puis il saute par-dessus la clôture, et il saute par-dessus les souches. Ils disent ça à Tit-Jean.
— *Débarquez-moi* donc, je vais aller boire moi aussi.

Il le *débarque* au petit trou où le renard avait bu. En buvant, il a ses yeux. Ah! là, il était content de ça, par exemple, la princesse et le roi aussi. Ils l'amènent au château, puis il marie la princesse. Il reste un an avec elle. Au bout d'un an, ça a l'air qu'il s'ennuyait. Il marchait la tête basse, il s'ennuyait.
— Qu'est-ce que tu as donc à t'ennuyer Tit-Jean?
— Bien, moi j'étais chasseur, et je m'ennuie assez de pas chasser, que je sais pas quoi faire de moi.

La princesse va dire ça à son père.
— Mais, on va engager des chasseurs pour qu'ils aillent avec lui.
Elle va lui dire ça.
— Moi, j'ai pas besoin de personne pour venir m'aider à chasser.
— Si tu en as pas de besoin!

Elle va dire ça au roi.
— On va l'*arrimer*, et il va y aller tout seul s'il a pas peur de *s'écarter*.

173

Toujours, ils l'*arriment*, puis quand ça a été prêt, il dit:

— Vas-y chasser, mais reviens-t'en, *écarte*-toi pas.

— Ah! non.

Lorsqu'il a été rendu à peu près un *arpent* dans le *bois*, il pense à ses trois lionnes; elles arrivent.

— Qu'est-ce que tu veux Tit-Jean?

— Est-ce que je pourrais avoir mon petit ruban bleu?

— Ah! il est malaisé à trouver ton petit ruban bleu. Ah! là, ton petit ruban bleu, ils l'ont lavé, et ils l'ont mis sur les gardes de la *galerie*. Ça prend trois mois pour y aller, puis j'ai un saut de trente *lieues* à faire. Quand j'aurai fait mon saut de trente *lieues*, si tu *poignes* pas ton ruban bleu, on est mort toute la *gagne*.

— Belle lionne, saute là, et tu vas voir que je *serai pas lâche* à y aller. En sautant là, moi aussi je vais sauter.

Ça part; marche, puis marche. Quand est venu le temps de prendre son air pour faire son saut, elle dit:

— Tiens-toi bien, il faut que je prenne mon air pour faire mon saut.

Toujours, là ça part. Elle fait son saut. Elle tombe droit au pied de l'escalier, puis Tit-Jean *poigne* son ruban bleu, et il se le met autour du corps. Là, il rentre dans la maison.

— Tiens, *mouman*, je suis revenu aujourd'hui. J'ai mes yeux. C'est de ta faute s'ils ont voulu me tuer. Tu vas mourir toi aussi.

Il la *poigne* par les pattes de même, puis il te l'*écartille*. Il la fend droit en deux. Ensuite, il part, et s'en va trouver les géants. Il dit:

— Mes *maudits*, vous avez voulu me faire mourir, mais vous allez mourir vous autres aussi à votre tour aujourd'hui. C'est moi qui l'ai le ruban bleu, là.

174

Il les *poigne*, puis les tue tous les trois. Puis il sort dehors et il met le feu à ces bâtisses-là. Il dit:
— Il rentrera plus rien dans ces bâtisses-là.

Puis il *rembarque* sur ses trois lionnes, et il s'en va.

Au bout d'un an, le roi croyait qu'il était *écarté* puis mort. Il va faire chanter son *service*. Durant ce temps-là, Tit-Jean s'en venait. Il *débarque* au bord du bois. Les trois lionnes ont dit:
— A cette heure, tu vas nous donner notre liberté.
— Ah! non, vous m'avez trop rendu service, je vais vous avoir soin à la place de vous donner votre liberté.
— Non, c'est pas ça qu'on veut; on veut notre liberté.
— Ah! bien d'abord que vous la voulez absolument, prenez-la votre liberté.

Il part et s'en va *prendre le chemin*. Il voit venir le roi. Tit-Jean avait sa grande barbe lui, ça faisait un an qu'il s'était pas châvé. Le roi le reconnaissait pas. En passant il dit:
— Eh! eh! arrêtez un peu. Vous me reconnaissez pas, mais moi je vous reconnais.

Ils arrêtent et le font *embarquer*, et disent:
— Où est-ce que tu es allé?
— Parlez-moi-s'en pas, je me suis *écarté,* puis là je viens de me retrouver.

Il disait pas ce qu'il avait été faire non plus.

Là, ils l'ont ramené chez eux. Ils ont toujours vécu ensemble, puis ils m'ont toujours renvoyé vous conter ça.

175

XI

L'OISEAU DE VÉRITÉ

Ce conte d'Isaïe Jolin, "l'Oiseau de vérité" (1), serait un parmi la dizaine des plus répandus dans le monde. Il est passé en Amérique par les Français, les Espagnols et les Portugais. En France, la littérature de colportage l'a tellement diffusé qu'on n'y retrouve plus guère que les éléments littéraires au détriment des éléments de tradition orale.

Les quatre éléments du conte d'Isaïe Jolin sont les suivants:

1. **le mariage d'une jeune fille d'humble condition sociale à un prince,** l'épouse promet au prince de lui donner des enfants portant dans leur peau leur nom écrit en lettres d'or;

2. **l'épouse calomniée,** le prince s'en va en guerre, et pendant ce temps la belle-soeur jalouse échange les trois nouveau-nes marqués d'or contre trois petits chats;

3. **les aventures des enfants,** un roi trouve les enfants dans un panier flottant sur l'eau; il les *amène* au château et les élève. Le garçon du groupe parvient, avec beaucoup de difficulté, à cueillir une pomme d'or qui fabrique la richesse, une branche d'olivier chantant et un oiseau de vérité. A l'occasion de la capture de cet oiseau, deux des enfants sont tournés en statue de sel; le troisième enfant délivre les deux autres;

1. Aarne-Thompson, c-type 707, "les Trois Fils dorés". 30 versions sont cataloguées aux A.F., U.L.

4. **le dénouement,** les enfants retrouvent leur père et mère. Ils arrivent au moment où leur mère est jugée. L'oiseau de vérité raconte toute la vérité, réhabilite la mère, et confond la belle-soeur.

ne bonne fois, je vais vous conter, vous raconter, tant de vérités, tant de menteries, plus je mens, plus je veux mentir.

C'était un roi et il était veuf. Il avait un garçon qui était d'âge d'*aller voir les filles*. Son père lui dit:
— *Va voir les filles*. On a pas de femme ici, tu te marieras
— Ah! oui.

Il attelle ses chevaux sur le plus beau carrosse, puis il part, puis il arrêtait de place en place. Il *sortait* jamais avant ça. Il arrête à une place, c'était bien pauvre; il arrête là pour *dîner*. L'homme lui dit:
— Vous me demandez à *dîner*, je suis pas le roi, ici on mange pas comme chez le roi.
— Monsieur, je vais manger *pareil comme* vous autres; la même affaire que vous autres.

Il y avait deux filles. Une d'elles était un peu plus laide que l'autre. Elles étaient toutes en guenilles, ils étaient si pauvres; et ils l'*attendaient* pas non plus. Toujours qu'ils le gardent à *dîner*. Il dételle son cheval, puis il *accroche* la plus belle. Quand ça vient pour *dîner*, il *dîne* avec elle. Après *dîner*, il lui demande pour causer avec elle une *secousse*. Il la demande pas en mariage, mais ça regardait bien. Vers deux heures, il part, et il s'en va *chez eux*. Le roi lui dit:
— Puis comment ça a regardé?
— Ça regardait bien. C'était du monde bien pauvre, tout en guenilles, mais c'était du monde qui parle bien.
— Demain, retourne encore.

Le lendemain, il attelle encore ses chevaux, puis il part. Il va encore *dîner* là. Il la demande pour *dîner* avec lui. Après *dîner*, il la demande pour

179

causer une *secousse*. Là, il lui fait voir qu'il voulait se marier. Ça regardait bien. Vers deux heures, il s'en va encore *chez eux*. Le roi dit:

— Comment ça regarde?

— Ça regarde bien, je crois que je vais l'avoir.

— Demain, retourne encore, puis parle-lui du mariage, et demande-la en mariage.

— Ah! oui, je la connais *en masse*.

Le lendemain, il y retourne encore. Quand vient le temps de *dîner*, il la demande encore pour *dîner*. Après *dîner*, il la demande pour causer. Là, il la demande en mariage, elle dit:

— Ah! oui. Puis je te promets qu'au bout d'un an et un jour, que j'aurai les plus beaux enfants du monde, leur nom écrit en or dans le dos, puis le nom du père et de la mère.

Il *trouvait* ça *bon*. Il s'en va trouver le roi et lui dit ça.

— Ah! oui, c'est correct. Quand est-ce que tu vas te marier?

— On va se marier dans huit jours.

Au bout de huit jours, ils se marient. Au bout d'une *secousse*, il y a un autre roi qui lève une guerre. Son garçon dit:

— Vous, vous êtes trop vieux maintenant. Je vais y aller prendre votre place. Par exemple, je veux que vous preniez bien soin de ma femme.

— Ah! oui. On va en avoir bien soin certain. Je vais engager sa soeur; avec sa soeur elle doit être bien?

— Ah! ça doit.

Il engage sa soeur. Puis, il part et s'en va à l'armée. Il lui écrivait des belles lettres à sa femme. Puis sa soeur allait chercher les lettres, puis elle écrivait tout autrement, et elle montrait ça au roi ensuite. Le roi le croyait pas. Mais toujours, pour *piquer au plus court*, il la fait mettre en prison (sa femme),

180

Toujours que son *homme*, le prince, écrivait tous les jours, mais elle ramenait jamais la même nouvelle. Un bon coup, au bout d'un an et un jour, elle a ses trois enfants tels qu'elle avait dit. Sa soeur guettait ça. Quand elle a vu qu'ils étaient comme sa femme avait dit au prince, elle prend les trois enfants, puis elle les met dans une petite boîte de bois, et elle les envoie sur la mer. Ensuite, elle prend trois petits chats, et elle les met à la place des enfants.

Le prince écrivait tout le temps. Elle écrit au prince que sa femme avait pas eu trois enfants comme elle avait dit, mais qu'elle avait eu trois petits chats. Le prince renvoie une nouvelle, que ce soit chien ou chat, que ce soit qu'est-ce que ça voudra, élevez-les. Elle, la *mauvaise* fille (sa soeur), va chercher la lettre, et elle écrit: "Prenez ma femme, puis mettez-la aux prisons".

On va revenir aux enfants. Il y avait un autre roi qui avait pas d'enfants, et son *désennui*, c'était d'aller faire un tour sur la mer en *bôte*. Tout d'un coup, qu'est-ce qu'il voit venir? Cette petite boîte-là qui flottait sur l'eau. Il va au-devant de la petite boîte, il la prend et il la met dans son *bôte*. Il *décolle* la boîte, il aperçoit ces trois enfants-là. Il part et s'en va *chez eux*. Il dit à sa femme:
— Prendrais-tu ce que j'ai trouvé?
— Bien, faut toujours que je sache ce que c'est.
— Viens voir ce que j'ai trouvé.
Elle part et va voir.
— Ah! oui, je vais les garder certain. Trois beaux petits enfants de même!

Ils les *amènent* à la maison, puis les élèvent. Rendus à sept ans, ils les envoient à l'école. Les enfants d'école les appelaient les bâtards; et ils haïssaient ça eux autres. Ils disaient ça au roi. Le roi disait:
— Vous voyez bien que vous êtes pas des bâtards, c'est moi qui est (suis) votre père, et puis votre mère est là. Laissez-les faire eux autres.

181

C'était le discours qu'ils étaient des bâtards. Rendus à peu près à dix-huit, vingt ans, le roi était invité à un repas chez un autre roi d'une autre *place*. Il avait pas le droit d'amener les enfants avant l'âge de vingt et un ans. Le roi leur dit:

— Vous sortirez pas de la maison. J'ai pas le droit de vous amener avant que vous ayez vingt et un ans.

— On *grouillera* pas d'ici.

Aussitôt parti, Tit-Jean dit à ses deux petites soeurs:

— Allons-nous-en, ça fait assez longtemps qu'ils nous traitent de bâtards.

— *C'est bon*.

Ils se *greyent à manger*, puis ils *prennent un chemin de bois*. Marchent, puis marchent. Le roi veille pas tard. Il arrive: plus d'enfants! Il lève une armée, puis il *l'envoie en chasse* des enfants. Toujours qu'ils prennent le même chemin que les enfants ont pris, et ils les rattrapent.

Ils étaient rendus loin, mais ils les ramènent au château. Le roi dit:

— Pourquoi vous avez laissé la maison?

— Eh bien, ça fait assez longtemps qu'ils nous traitent de bâtards, on est *tanné* de ça.

— Vous voyez que moi puis votre mère sommes vos parents. Vous laisserez plus la maison?

— Non. Vous nous avez trouvés une fois, vous nous trouverez pas une autre fois; vous *courrez* pas *après* nous autres une autre fois.

Au bout d'un an, le roi était encore invité à un repas. Il dit:

— Vous avez encore un an avant de pouvoir nous suivre. Vous nous laisserez pas? Vous ferez pas comme l'année passée?

— Ah! non, certain. Vous avez *couru après* nous autres, vous *courrez* plus *après* nous autres.

182

Le roi part et aussitôt qu'il est sorti, ils ont dit:

— On s'en va encore?

— Ah! oui.

Ils se *greyent* encore un sac *de manger*, tu comprends, puis ils prennent un autre chemin. Envoient, courent puis courent. Le roi veille encore pas tard. Il arrive, les enfants étaient encore partis. Il lève encore une armée, puis ils prennent le même chemin que l'année passée. Là, ils les trouvent pas.

Là, ils s'en vont justement où ils étaient venus au monde, chez leur grand-père. La *vieille fille* redoutait que c'était eux autres. Elle se dit: "Ce soir, je vais toujours bien voir". Ils étaient fatigués de courir puis de marcher, ils se couchent et ils s'endorment tout de suite dur comme des roches. La *vieille fille* regarde dans leur dos, puis elle voit le nom du père, puis de la mère, puis celui des trois enfants, écrits en or. Elle se dit: "Il faut que je m'en débarrasse".

Ils *restent* là quinze jours, trois semaines. Elle disait rien. Elle se met à penser: "Si je leur envoyais chercher la pomme d'or qu'il y a dans le jardin des quatre-vingt-dix-neuf géants, là ils resteraient, par exemple. Elle dit ça à Tit-Jean:

— Tu serais le plus riche du monde. Bien plus riche que le roi ici.

— Est-ce que c'est vrai ça?

— Ah! oui c'est bien trop vrai.

Tit-Jean parle de ça au roi.

— Oui, tu serais bien plus riche que moi. Mais tu t'en reviendras pas en vie. Tu vas rester là. Quatre-vingt-dix-neuf géants, ils vont avoir plus de *capacité* que toi.

— Ah! si c'est vrai, je vais y aller la chercher la pomme d'or.

— Ah! d'abord que tu veux y aller absolument, vas-y.

— Moi, ça m'*occupe* pas, ça.

Il part, *prend le chemin de bois*, et il arrive à un petit ruisseau, *s'assit* sur un petit *corps mort*, puis il se met à pleurer. Pleure, puis pleure. Tout d'un coup qu'est-ce qui *ressoud* près de lui? Une vieille grand'mère.

— Tiens, Tit-Jean, je te dis que j'ai faim là.

— Tiens, bonne grand-mère, en voilà de quoi *à manger*. Mangez, mangez tout ce que vous voulez, ça me fait rien.

Elle prend quelques bouchées. C'était rien que pour voir quelle sorte de coeur il avait.

— Ah! bonne grand-mère, mangez.

— Ah! c'était pour *voir ton coeur*, puis tu as bon coeur. Où est-ce que tu vas?

— Bien, mon grand-père a dit que si j'allais chercher la pomme d'or qu'il y a dans le jardin des quatre-vingt-dix-neuf géants, que je serais l'homme le plus riche du monde. Bien plus riche que lui.

— Oui, mais tu l'as pas. Va-t'en donc au château. Tu serais bien mieux au château.

— Ah! j'ai dit que j'irais la chercher, et j'y vais.

— Ah! d'abord que tu veux y aller, vas-y. Tiens, je vais te donner cette petite baguette de fer-là, tu as rien qu'à souhaiter d'être rendu là pour midi. Rendu à midi, tu vas les voir tous tomber à terre, ils vont dormir une heure. Il faut que tu ailles chercher la pomme la plus haute dans le jardin, puis elle est loin. Il faut que tu fasses attention pour pas les réveiller, ou bien tu vas mourir.

Toujours, Tit-Jean part et dit: "Je me souhaite, par la vertu de ma petite baguette de fer, d'être rendu à la barrière des quatre-vingt-dix-neuf géants pour midi". En disant ça, il était rendu. Il voit tomber tous les géants à terre. Il part sur le bout des pieds, puis il s'en va chercher la pomme d'or. Il s'en

"En disant ça, il était rendu. Il voit tomber tous les géants à terre. Il part sur le bout des pieds, puis il s'en va chercher la pomme d'or."

revient, et comme il passe sous la barrière, il les voit *grouiller*. Là, il dit: "Je me souhaite par la vertu de ma petite baguette de fer d'être rendu à mon petit ruisseau". En disant ça, il était rendu.

Là, la *vieille fille* regardait pour voir s'il reviendrait. Toujours, il flâne jusqu'à la *brunante*, et s'en va. Elle le voit venir. Elle va au devant à la porte et dit:
— L'as-tu la pomme d'or?
— Ah! oui, je l'ai. Regardez comme elle est belle.

Tit-Jean part et va montrer ça au roi.
— Ah! oui, bien là, tu es bien plus riche que moi.

Le lendemain, ils vont tous s'asseoir sur la *galerie*. Ça, c'était la pomme qui jouait la mieux de la musique qui pouvait pas y avoir. Puis l'argent lui tombait dans les mains. Tout le monde lui *amenait* de l'argent dans les mains. Chaque fois qu'il arrivait un homme, il lui donnait de l'argent. Ils ont trouvé ça *beau*. Ça a *toffé* encore de même une quinzaine de jours. La *vieille fille* dit en elle-même: "Pourtant, faut que je m'en débarrasse! Je vais lui envoyer chercher la branche d'olivier chantant. Là, il ne reviendra pas certain". Elle dit ça à Tit-Jean:
— Tit-Jean, si tu allais chercher la branche d'olivier chantant, tu serais quatre fois plus riche que le roi, plus riche qu'avec ta pomme d'or.
— Est-ce que c'est vrai ça?
— Ah! oui, c'est bien trop vrai.

Il va conter ça au roi.
— Ah! oui, c'est bien vrai, mais tu l'as pas. C'est encore quatre-vingt-dix-neuf géants qu'il y a là, et ils sont bien plus *tendres à réveiller* que les autres. Si tu vas là, c'est certain que tu reviens pas.
— Ah! j'y vais.

186

— Ah! vas-y si tu veux y aller.

Toujours, il part le lendemain. Il prend encore un *sac à manger* et il part. Il s'en va s'asseoir encore sur son petit *corps mort*. Là, il se met à pleurer. Pleure, et puis pleure. Tout d'un coup, sa vieille grand-mère arrive:
— Ah! Tit-Jean, ce que j'ai faim.
— Tiens, bonne grand-mère, en voilà *de quoi à manger*. Mangez-le tout si vous voulez, ça me fait rien.

Elle mange quelques bouchées, c'était pour *voir son coeur*, pour voir quelle sorte de coeur il avait.
— Ah! bonne grand-mère, mangez.
— Ah! c'était pour voir si tu avais du coeur. Mais tu as un vrai bon coeur. Où est-ce que tu vas, là?
— Je vais chercher la branche d'olivier chantant.
— Mon Dieu! revire donc, va-t'en donc au château. Ce serait bien plus aisé que d'aller là. Tu es pas certain de revenir; si tu réveilles les géants, tu reviens pas.
— Ah! j'y vais.
— Bien, vas-y Tu as ta petite baguette de fer, tu as seulement qu'a te souhaiter d'être rendu à la porte des quatre-vingt-dix-neuf géants, et tu vas être rendu. Tu vas tous les voir tomber. C'est encore plus loin que l'autre fois. Fais attention à toi, puis dépêche-toi.
— Ah! oui.

Il part. Fallait qu'il aille chercher la branche la plus haute. Il se souhaite d'être rendu là pour midi. Il les voit tous tomber, puis il passe sous la barrière. Il se dépêche d'aller à l'olivier le plus haut, et c'était loin. Toujours, il monte dedans, casse la branche, et le voilà parti pour s'en revenir. Comme il passait en dessous de la barrière, les géants commençaient *à grouiller*. Là, il se souhaite d'être rendu à son petit *corps mort*. En disant ça, il était rendu.

187

La *vieille fille* commençait à regarder encore pour voir s'il était pour s'en revenir. Ils étaient pas certains de leur coup, là. Toujours, elle l'aperçoit, il s'en venait. Là, elle va lui ouvrir la porte, puis elle dit:
— Ah! l'as-tu la branche d'olivier chantant?
— Ah! oui je l'ai. Regardez comme j'ai une belle branche.
— Ah! oui.

Il va montrer ça au roi.
— Ah! Tit-Jean, tu es quatre fois plus riche que moi avec ça.

Le lendemain, ils se mettent encore sur la *galerie*. Ils font jouer la branche d'olivier chantant, puis ils font jouer la pomme d'or. L'argent lui tombait à pleine main. Ah! il était content.

Au bout d'une quinzaine de jours, la *vieille fille* dit en elle-même: "Faut pourtant que je m'en débarrasse. Je vais l'envoyer chercher l'oiseau de vérité. Certain, là il va y rester, par exemple". Comme de fait, elle lui dit:
— Si tu allais chercher l'oiseau de vérité, c'est certain que tu serais l'homme le plus riche du monde. Puis, l'oiseau de vérité quand il parlerait, il dirait seulement la vérité, il y aurait pas de menteries.
— Est-ce que c'est vrai ça?
— Ah! oui c'est bien trop vrai.

Il parle de ça au roi.
— Ah! oui, c'est bien trop vrai, mais tu l'as pas. Tu sauras qu'il est malaisé à prendre l'oiseau de vérité.
— Ah! j'y vais, j'y vais le chercher.

Le lendemain matin, il prend son couteau, le met sur la table, et il dit à ses petites soeurs:
— Si je viens qu'à être mal pris, mon couteau va rouiller. Si je suis pas mal

pris, il rouillera pas. S'il vient qu'à rouiller, vous viendrez à mon secours.
— Ah! oui, oui.

Il part, puis il s'en va encore à son petit *corps mort*. Il se met encore à pleurer. Pleure, puis pleure. La vieille grand-mère qui arrive.
— Ah! que j'ai faim Tit-Jean.
— Tiens, bonne grand-mère, en voilà *de quoi à manger*. Mangez tout si vous voulez, ça me fait rien.

Elle mange quelques bouchées, puis elle arrête.
— Mangez donc, bonne grand-mère.
— Ah! c'était seulement pour voir si tu as bon coeur, et tu as un bon coeur. Où veux-tu aller là?
— Bien, je vais chercher l'oiseau de vérité.
— Ah! mon Dieu! Va-t'en donc au château. Tu vas y rester, là.
— Ah! je vais le chercher.
— Bien, d'abord que tu veux y aller le chercher, vas-y. Tu as seulement qu'à te souhaiter par la vertu de la petite baguette de fer d'être rendu à la porte de l'oiseau de vérité, et puis tu vas y être rendu. Avant d'entrer, regarde partout.
— Ah! oui.
— Tu vas voir que tu auras peut-être pas envie de le *poigner*.

Il se met à regarder, il y avait peut-être vingt *milles* carrés, c'était seulement des statues de sel. Il fallait qu'il se déboutonne pour laisser entrer l'oiseau de vérité dans sa chemise et il devait *poigner* l'oiseau quand il en sortirait. L'oiseau viendrait lui faire le tour du corps, et il s'en irait. La bonne grand-mère avait dit:
— Si tu es trop vif, tu le *poigneras* pas, si tu est trop *gourde*, tu le *poigneras* pas non plus. Il faut que tu sois juste bien vif.
— Bien, je serai juste bien vif.

189

Toujours, il se couche, puis il se déboutonne. L'oiseau de vérité arrive et lui fait le tour du corps. Il part pour le *poigner*, mais il a été trop vif, l'oiseau de vérité lui a *passé dans les mains*. Là, il tombe en statue de sel près de la table.

Sa petite soeur s'aperçoit que le couteau rouillait. Elle le dit au roi:
— Ah! mon petit frère est mal pris, je vais à son secours.
— Non! tu vas y rester toi aussi, c'est certain.
— Ah! j'y vais.
— Vas-y d'abord que tu veux y aller.

Elle se *greye de quoi à manger*, et elle *prend le chemin de bois*. Elle *s'assit* sur le même petit *corps mort* que Tit-Jean. Elle se met à pleurer. Pleure, puis pleure. La bonne grand-mère qui arrive.
— Ah! bonjour ma petite fille. Ah! ce que j'ai faim. Pauvre petite fille que j'ai faim.
— Tiens, bonne grand-mère, en voilà *de quoi à manger*. Mangez-le tout si vous voulez.

Elle prend quelques bouchées; c'était pour *voir son coeur* encore.
— Ah! mangez donc, bonne grand-mère.
— Ah! c'était pour *voir ton coeur*, si tu avais du coeur. Tu as un bon coeur *pareil comme* ton petit frère. Où est-ce que tu vas?
— Ah! mon petit frère est mal pris, je vais à son secours. Il est allé pour chercher l'oiseau de vérité.
— Mais, toi aussi, tu vas y rester. Ton petit frère est trop vif, il lui a *passé dans les mains*. Puis si tu es trop *gourde*, il va te *passer dans les mains*, tu t'en apercevras pas. Il faut que tu sois juste bien vive pour le *poigner*.
— Bien, je serai juste bien vive.
— Ah! *c'est bon*, vas-y.

Elle lui donne une baguette de fer, et dit:

— Tu auras rien qu'à te souhaiter, par la vertu de ta petite baguette de fer, d'être rendue à la maison de l'oiseau de vérité, et tu vas y être rendue. Puis les statues de sel étaient toutes du monde. Ton petit frère est près de la table. En arrivant, faudra que tu te déboutonnes. L'oiseau va te faire le tour du corps, il faut que tu le *poignes*.

— Ah! oui.

Toujours qu'elle souhaite d'être là. En disant ça, elle était rendue. Puis elle se met à regarder. Il y avait quasiment vingt *milles* carrés où c'était rien que des statues de sel. Elle peut pas croire qu'elle viendrait de même. Elle ouvre la porte, elle aperçoit son frère en statue de sel. Elle se dit: "Ça, c'est mon frère qu'il y a là". Toujours, elle se couche, l'oiseau de vérité arrive, puis lui fait le tour du corps. Elle a été trop *gourde*, il lui a *passé* à travers *des mains* elle aussi. Elle a tourné en statue de sel.

Son autre petite soeur qui s'aperçoit que le couteau rouillait, dit au roi:

— Ah! Je vais au secours de mon frère, puis de ma soeur.

— Ah! vous allez rester tous les trois là. Vous voyez bien que ça a pas de bon sens. Il y a du monde là, une chose épouvantable, qui ont essayé et ont jamais pu le *poigner*.

— Bien je vais essayer de le *poigner*.

Elle se *greye à manger* et part. Elle arrive au petit *corps mort*, elle *s'assit* dessus et se met à pleurer. Pleure et puis pleure. Tout d'un coup la bonne grand-mère qui arrive.

— Bonjour ma petite fille. Eh! ce que j'ai faim.

— Tiens, bonne grand-mère, en voilà à manger. Mangez tout si vous voulez, ça me fait rien.

Elle mange quelques bouchées, c'était rien que pour voir ce qu'elle allait

191

dire.

— Bonne grand-mère, mangez.

— Ah! c'était pour voir si tu avais un bon coeur *pareil comme* ton petit frère, puis ta petite soeur. Où est-ce que tu vas?

— Je vais au secours de mon frère et de ma soeur.

— Ah! mon Dieu! Revire donc, va-t'en donc au château avec ton père. Tu serais bien mieux que d'aller là.

— Ah! j'y vais. Je vais à leur secours.

— Bien, ton petit frère a été trop vif, l'oiseau a passé au côté et il en a pas eu connaissance. Ta petite soeur a été trop *gourde*, il lui a *passé dans les mains* et elle en a pas eu connaissance. Il faut que tu sois juste bien vive.

— Bien, je vais l'être juste bien vive, moi.

La grand-mère lui avait donné une baguette de fer pour souhaiter d'être rendue là. Elle se souhaite d'être rendue à la porte de l'oiseau de vérité. La voilà rendue là. Elle se met à regarder de chaque bord, elle voyait seulement que des statues de sel. Elle se met à pleurer. Pleure, puis pleure. Elle se dit: "Je serai pas pire que les autres". Elle entre, elle voit son frère et sa soeur en statue de sel. Toujours, elle se couche, et elle ouvre son *butin*. L'oiseau de vérité passe, elle le *poigne*. Là, elle était contente. L'oiseau de vérité dit:

— Lâche-moi, je t'échapperai plus. Va chercher la *caisse* qu'il y a là, mets-moi dedans, et je t'échapperai plus.

Elle le lâche, elle va quérir ça et elle le met dedans.

— Maintenant, prends la petite bouteille qu'il y a dans l'armoire. Mets-en sur la tête de ton frère et de ta soeur.

En mettant ça dessus, ils étaient délivrés. L'oiseau de vérité dit:

— Maintenant, mettez-en sur tout le monde que vous voyez là.

Ils étaient trois, ça allait encore vite à trois. Toujours, il en avait pas laissé un. Ils étaient tous revenus corrects. Ils s'en vont tous chacun chez eux chacun leur tour. Quand ils ont eu fini, ils se disent: "Je me souhaite d'être rendu à mon petit *corps mort*". Ensuite ils arrivent au château.

Puis là, leur mère était en procès. Leur père était arrivé. Le procès se passait avec sa belle-soeur. Toujours, ils entendent dire que l'oiseau de vérité était arrivé. Le juge dit d'aller le chercher. Ils viennent le chercher. Tit-Jean dit:
— Il ne parlera pas avec vous autres. Nous autres, on va le faire parler, mais pas vous autres.

Ils vont dire ça au juge. Il dit:
— Amenez-les tous les trois.

Toujours, ils viennent chercher Tit-Jean et les deux filles avec l'oiseau. Ils entrent, et le juge dit:
— Mets-le sur la tablette là.

Le juge essaie de le faire parler, mais pas capable. Tit-Jean dit:
— Vous le ferez pas parler personne de vous autres. C'est nous autres qui allons le faire parler.

Le juge dit:
— Bien, demandez-lui de raconter la vie de cette femme-là.
L'oiseau de vérité dit:
— Quand elle s'est mariée, elle a promis au prince les trois plus beaux enfants du monde, leur nom écrit en or dans le dos, puis ceux du père et de la mère. Et cela s'est réalisé, les voilà.
Le juge dit:
— Vite, regardez voir si c'est vrai.

Ils déshabillent les enfants, tu comprends, ils regardent dans leur dos pour voir si c'était vrai. C'était bien vrai pour tous les trois. L'oiseau ajoute:
— Puis, quand ils sont venus au monde, la soeur de leur mère a pris les trois enfants, les a mis dans une petite boîte de bois, puis elle a jeté la boîte à la mer. Elle a mis trois petits chats à la place.

Le juge dit au prince:
— Qu'est-ce que tu vas faire de ça?
— Bien, moi je vais ramener ma femme, puis je vais laisser sa soeur à la place à la prison. C'est elle qui est fautive. C'est pas ma femme qui est en défaut, elle a eu connaissance de rien de tout ça.

Ils sont revenus à la maison, ils ont toujours vécu ensemble, puis moi, ils m'ont renvoyé vous conter ça encore une fois.

GLOSSAIRE *

Accrocher une fille: Courtiser une fille.

Achaler: *v.t.* Déranger. Mettre mal à l'aise.

Acheté fait: Manufacturé.

Acheter un bébé: Donner naissance à un enfant.

Adonner (s'): Se convenir. Faire par hasard. Arriver par hasard.

Aller à l'eau: Uriner.

Aller dans le bois: Aller demeurer dans la forêt.

Aller dans un chemin de bois: Aller vers l'inconnu.

Aller voir les filles: Courtiser les filles.

Amancher: *v.t.* Attacher, fixer.

Amener: *v.t.* Apporter.

Aplanchir: *v.t.* Aplanir.

Arme blanche: Arme tranchante.

Arpent: s.m. Mesure de longueur équivalant à 57,3 m.

Arrimer: *v.t.* Préparer, pourvoir quelqu'un de ce dont il a besoin.

Arriver en ville: Arriver à la civilisation.

Assir(s'): S'asseoir.

Attendre (quelqu'un): Etre prêt à recevoir quelqu'un.

Avoir à manger: Avoir de la nourriture.

Avoir de quoi à manger: Avoir de la nourriture.

Avoir rien à son épreuve: Etre fort et hardi, capable de résister à tout.

Avoir soin: Entretenir, nourrir. Conserver.

Badrage: *s.m.* Difficulté, empêchement.

Bagne: interj. Détonation d'une arme à feu.

---

*Pour chacun des mots et expressions présentés dans ce glossaire, nous nous limitons à donner les significations retrouvées dans la langue du conteur Isaïe Jolin. Lorsqu'il y a plus d'une définition pour un mot, c'est que l'informateur a donné plus d'une signification au même mot. Le genre, le nombre, la forme, etc. des mots sont aussi donnés d'après leur emploi dans les contes présentés.

Bailler: *v.t.* Donner.

Balanciner (se): Se balancer.

Barbe: *s.f.* Poil de barbe. Patte de fourmi.

Bardasser (ou bordasser): *v. intr.* Faire du bruit, du tapage.

Barrer: *v.t.* Fermer à clef.

Bas (en): En ville. Descendre.

Bâtiment: *s.m.* Bateau.

Batte: *s.f.* Partie frappante d'un fléau à battre le grain.

Batterie: *s.f.* Aire où l'on bat le grain dans une grange.

Battre un ban: Faire une convocation.

Bean: *s.f.* Fève (de l'angl. *bean*).

Beau: *adv.* Bien.

Belle: *adj.* Bonne.

Bitter (se): Surpasser (de l'angl. *to beat*).

Blanc: *s.m.* Point de mire.

Bois: *s.m.* Forêt. Bois de chauffage.

Bois (grands): Etendue de forêt peu fréquentée.

Bon homme: Fort.

Bon (c'est): C'est bien.

Bord: s.m. Chemin.

Bordas: *s.m.* Bruit.

Bordasser (ou bardasser): *v. intr.* Faire du bruit.

Bosse: *s.f.* Dénivellation.

Bôte: *s.m.* Bateau (de l'angl. *boat*).

Bourrer: *v.t.* Remplir.

Brailler: *v.intr.* Pleurer.

Branler: *v.t.* Secouer.

Brin: *s.m.* Fruit de la grappe de raisin.

Brin de raisin: Fruit de la grappe de raisin.

Briser un lit: Se coucher. Préparer le lit pour se coucher.

Brunante: *s.f.* Brune.

Bûcher: *v.t.* Frapper.

Bûcher (se): Se battre.

Butin: *s.m.* Vêtements. Objets divers appartenant à quelqu'un.

Butin des autres: Ce qui ne nous appartient pas.

Caisse: *s.f.* Cage d'oiseau.

Caler: *v. intr.* Enfoncer.

Caller: *v.t.* Demander, appeler (de l'angl. *to call*).

Calotte:"Meilleur docteur du monde": Casquette portant l'inscription *Meilleur médecin du monde*.

Camp: *s.m.* Camp de bûcherons. Habitation temporaire, surtout dans un chantier forestier.

Capable: *adj.* Fort.

Capacité: *s.f.* Force.

Cavalier: *s.m.* Prétendant.

Cent. *s.m. pl.* **Des dix cents.** Dixième partie du dollar.

Chaloupe: *s.f.* Embarcation.

Chantier: *s.m.* Chantier forestier.

Charger: *v.t.* Donner en abondance, trouver en abondance.

Châssis: *s.m.* Fenêtre.

Chaud: *adj.* Soûl, ivre.

Chemin de bois: L'inconnu.

Chéver: *v.t.* Raser (de l'angl. *to shave*).

Chevreuil: *s.m.* Cerf de Virginie du Nord; il se rencontre dans tout l'est du Canada.

Chez eux: Chez lui, chez elle.

Chienne: *s.f.* Homme peureux.

Chignon du cou: Nuque.

Claque: *s.f.* Tape.

Commencer la musique: Commencer à jouer de la musique.

Commère: *s.f.* Marraine.

Comprenable: *adj.* Compréhensible.

Connaître: *v.t.* Reconnaître.

Contes de menteries: Conte folkorique.

Conte de Tit-Jean: Conte populaire, généralement merveilleux.

Conte drôle: Conte à rire ou facétieux.

Cordeaux: *s.m. pl.* Guides.

Corps mort: Tronc d'arbre séché reposant par terre.

Couchette: *s.f.* Lit.

Coup: *s.m.* Fois.

Coup-ci (ce): Cette fois-ci.

Coup-là (ce): Cette fois-là.

Courir après: Chercher.

Courir dans le bois: Marcher sans but.

Courir les chemins: Aller à la recherche. Aller à l'aventure.

Coutume (comme de): Habituellement.

Coutume (de): D'habitude.

Crête: *s.f.* Ouverture entre deux planches embouvetées.

Cré vieux fou: Sacré vieux fou, être sans bon sens.

Crier: *v.intr.* Appeler.

Crier du porte-voix: Appeler avec un porte-voix.

Croire (c'est à): C'est pas possible.

Crotter: *v.t.* Déféquer.

Cuisine: *s.f.* Grande pièce de séjour où l'on prépare et consomme la nourriture.

Darder (se): Sauter ou se jeter violemment sur quelqu'un ou sur quelque chose.

Débarquer: *v.t.* et *intr.* Descendre.

Débarrer: *v.t.* Ouvrir au moyen d'une clef.

Débourrer (se): Se vider.

Déchanger (se): Se changer de vêtement.

Décoller: *v.t.* Ouvrir.

Défendre sur (se): Accuser une autre personne.

Déjeuner: *v.intr.* Prendre le petit déjeuner.

Déjeuner: *s.m.* Petit déjeuner.

Démancher: *v.t.* Défaire.

Demander quartier: Se rendre.

Démorphoser: *v.t.* Désemmorphoser.

Descendre du bois: revenir chez soi le printemps après avoir passé l'hiver dans un chantier forestier.

Descendre les vaches: Ramener le troupeau de vaches à l'étable.

Désennui: *s.m.* Passe-temps.

Dîner: *v.intr.* Prendre le déjeuner.

Dîner: *s.m.* Déjeuner.

Disputage: *s.m.* Disputation.

Docteur: *s.m.* Médecin.

Donnaison: *s.f.* Legs du bien paternel.

Droit: *adv.* D'un seul coup.

Eau d'endormi: Eau magique qui endort.

Eau de vie: Eau magique donnant une nouvelle vigueur.

Ecarter: *v. pr.* S'égarer, se perdre. *V.t.* Egarer.

Ecartiller: *v.t.* Ecarteler.

Eclair: *s.m.* Jaillissement de lumière.

Eclairer: *v.intr.* Briller.

Ecrapoutir: *v.t.* Ecrabouiller.

Ecraser: *v.intr.* Tomber par terre d'épuisement.

Effrayant: *adv.* Excessivement.

Embarquer: *v.t.* Faire monter. *V. intr.* monter.

Embarquer (s'): Se mettre.

Emmorphoser: *v.t.* Transformer par magie.

Emporter: *v.t.* Apporter.

Encombler: *v.t.* Mettre le comble.

Encore mieux: Plus fort.

Enharder (s'): Se vêtir, s'habiller.

Envoyer en chasse: Faire chercher.

Envoyer fort: Jouer vigoureusement.

Envoyer sur la musique: Jouer vigoureusement d'un instrument de musique.

Epouvantable: *adv.* Epouvantablement.

Etre achalé: Etre mal à l'aise.

Etre à moitié fou: Débile, sans bon sens.

Etre bon homme: Etre fort.

Etre capable: Avoir beaucoup de force.

Etre clair: Etre pardonné. Avoir satisfait à certaines exigences.

Etre dans le lit: Etre retenu au lit par la maladie.

Etre dans les chaînes: Etre enchaîné.

Etre en âge: Avoir l'âge de la majorité.

Etre fondé: Etre riche à l'excès.

Etre lâche à: Se faire prier. Etre maladroit.

Faire à manger: Préparer de la nourriture.

Faire bon homme: Etre bon homme. Constituer une équipe forte.

Faire de cas: Faire cas.

Faire du bois: Couper du bois de chauffage.

Faire (je vais t'en): Je vais t'apprendre.

Faire périr: Tuer, détruire.

Faire son affaire: Etre satisfait.

Faire son Christ: Avoir fière allure, être ostentateur.

Fesser: *v.t.* Battre, frapper n'importe où sur le corps.

Fou: *adj.* Débile, sans bon sens.

Fouter (se): Etre indifférent.

Frémille: *s.f.* Fourmi.

Gaffer: *v.t.* Empoigner, saisir.

Gagne: *s.f.* Bande, groupe (de l'angl. *gang*).

Galerie: *s.f.* Plate-forme longeant le mur extérieur d'une maison et généralement couverte.

Garde: *s.f.* Emplacement dans un chantier forestier où l'on empile les troncs d'arbre.

Gars: *s.m.* Garçon.

Glissailler: *v. intr.* Perdre pied.

Gourde: *adj.* Gauche, maladroit.

Greyer à manger: Préparer de la nourriture.

Greyer (se): S'habiller, se préparer.

Gronder: *v.intr.* Parler tout seul. Disputer.

Gueule: *s.f.* Bouche.

Haut (dans le): Premier étage d'une maison.

Hère: *s.m.* Paresseux.

Homme: *s.m.* Epoux.

Homme de bois: Bûcheron ou travailleur dans les chantiers forestiers.

Homme de chantier: Travailleur dans les chantiers forestiers.

Jack de bois: Nom donné au travailleur en forêt.

Japper: *v.intr.* Etre de mauvaise humeur.

Joint: *s.m.* Espace vis-à-vis de la juxtaposition de deux corps.

Jongler: *v.t.* Songer.

Jouer: *v.t.* Agiter, secouer.

Lames: *s.f.pl.* Clavier d'un instrument à cordes.

Lieue: *s.m.* Mesure de longueur équivalant à 4,8 km.

Ligne de têtes d'arbres: Route. Ligne d'orientation formée par la cime des arbres.

Livre: *s.f.* Mesure de poids équivalant à 0,45 kg.

Long (du): Le long.

Lot de petits merisiers: Mauvaise terre à bois.

Lousse: *adj.* Libre (de l'angl. *loose*).

Maganer: *v.t.* Maltraiter.

Malin: *adj.* Irrité, mécontent.

Manger (de quoi à): De la nourriture.

Manger une cuite: Se faire battre vigoureusement.

Manger une (en): Se faire battre vigoureusement.

Manger une gratte: Recevoir des coups, une volée.

Manger une soupe chaude: Se faire battre vigoureusement.

Manquable: *adv.* Supposément.

Manquer de se tuer: Passer à un cheveu de la mort.

Manquer gros (en): Etre loin d'égaler.

Manquer mourir: Passer près de mourir.

Marcher: *v.intr.* Chercher.

Marcher comme le vent: Marcher à la vitesse du vent.

Marcher par invisible: Se déplacer par magie.

Masse (en): En grande quantité.

Maudire une claque: Donner une tape.

Maudire un coup: Donner un coup vigoureusement.

Maudire une volée: Donner une volée.

Maudit: *interj.* Juron.

Mauvais: *adj.* Méchant.

Mener le diable: Gronder quelqu'un, le disputer.

Mener les vaches: Envoyer les vaches dans les champs.

Menterie: *s.f.* Mensonge.

Mettre en frais (se): Commencer à faire quelque chose.

Mettre (se): Manger voracement.

Mille: *s.m.* Mesure de longueur équivalant à 1,6 km.

Miner: *v.intr.* Concorder. Avoir l'air vrai.

Minot (blé): *s.m.* Mesure de poids équivalant à 32 kg.

Mitan: *s.m.* Milieu, centre.

Moitié fou (à): Débile, sans bon sens.

Mondain: *interj.* Expression de joie ayant le même sens que maudit.

Monter le bois: Transporter le bois de chauffage dans les chambres.

Monter les vaches: Conduire les vaches au champ.

Mouiller: *v.intr.* Pleuvoir.

Moulange: *s.f.* Meule de pierre servant à moudre le grain.

Mouman: *s.f.* Maman.

Mouver: *v.intr.* Changer de place (de l'angl. *to move*).

Musique: *s.f.* Instrument de musique.

Occuper (s'): Se préoccuper.

Ordinaire de la maison: Travaux ménagers, préparation de la nourriture, etc.

Orignal: *s.m.* Le plus gros animal de la famille des cervidés de l'Amérique du Nord.

Oui: *part. aff.* Entrez.

Palettes: *s.f.pl.* Pédales d'un piano ou d'un harmonium.

Pareil comme: Pareil à. Semblable.

Parler l'anglais: Dire quelques mots à consonnance anglaise devant quelqu'un qui ne comprend pas cette langue pour laisser croire qu'on la maîtrise.

Paroles de roi: Ordres indiscutables. Vérités.

Partir: *v.intr.* Se mettre à jouer en parlant d'un instrument de musique.

Pas mal: Beaucoup, passablement.

Passer: *v.t.* Dépasser quelqu'un.

Passer dans les mains: Echapper des mains de quelqu'un.

Passer dans un chemin de bois: Errer, être dans un lieu inconnu. ·

Patte: *s.f.* Jambe ou pied.

Pays (vieux): *s.m.pl.* Pays de n'importe quel continent, exceptés ceux du Nouveau Continent.

Piastre: *s.f.* Dollar.

Pied: *s.m.* Mesure de longueur équivalant à 30,5 cm.

Piquer au plus court: Résumer.

Place: *s.f.* Village étranger.

Planche: *adj.* Uni, sans aspérité.

Plein (à): Beaucoup.

Plumer: *v.t.* Plumer ou enlever la peau.

Pochetée: *s.f.* Sac de cent livres (45 kg).

Poigner: *v.t.* Agripper. Saisir.

Poison: *adj.* Empoisonné.

Ponce: *s.f.* Préparation d'un stimulant à base d'alcool.

Porter le bois: Transporter le bois de chauffage dans les chambres.

Pot: *s.m.* Vase de nuit.

Pouce: *s.m.* Mesure de longueur équivalant à 2,54 cm.

Poupa: *s.m.* Papa.

Pousser (se): Faire des efforts, se forcer.

Première: *adj.* Bonne, d'excellente qualité.

Prendre: *v.t.* Accepter, comprendre.

Prendre amitié dessus: Aimer quelqu'un, s'attacher à quelqu'un.

Prendre du plaisir: S'amuser.

Prendre la force: Aller à pleine capacité.

Prendre la porte: Sortir.

Prendre le bois: Partir de chez soi. Partir en forêt. Aller à l'aventure.

Prendre le champ: Se sauver.

Prendre le chemin: Aller à la recherche, s'en aller.

Prendre l'escalier: Monter l'escalier.

Prendre le haut: Monter dans les champs.

Prendre le large: S'en aller, s'évader.

Prendre les vaches: Réunir les vaches.

Prendre une (en): Se faire battre vigoureusement.

Prendre un chemin de bois: Partir pour l'inconnu, l'aventure.

Quarante-quatre: *s.f.* Fusil de chasse de faible pesanteur.

Questionner de tous les bords: Questionner en insistant.

Rachever: *v.t.* Continuer ce que l'on vient de commencer.

Ramener: *v.t.* Guérir.

Rang de vent: Direction.

Ratteler: *v.t.* Atteler de nouveau.

Recaller: *v.t.* Demander à nouveau (de l'angl. *to call*).

Reconsolage: *s.m.* Action de consoler à nouveau.

Reconsoler: *v.t.* Consoler à nouveau.

Regarder par la serrure: Regarder par le trou de la serrure.

Remonter les vaches: Monter à nouveau les vaches au champ.

Rempirer: *v.t.* Rendre plus triste.

Rentourer: *v.t.* Entourer.

Repasser ses contes dans sa tête: Se remémorer ses contes, les repasser dans son esprit.

Ressoudre: *v.intr.* Arriver subitement.

Resté: *adj.* Epuisé, fatigué (de l'angl. *to rest*).

Rester: *v.intr.* Demeurer.

Rester bête: Etre stupéfait, surpris.

Rester tranquille: Ne rien bouger.

Revenir: *v.intr.* Guérir.

Revirage: *s.m.* Action de rebrousser chemin.

Rôti (beau): Bon rôti.

Rouvrir: *v.t.* Ouvrir.

Sac à manger: Sac de nourriture.

Sacreur: *s.m.* Blasphémateur.

Saucer: *v.t.* Tremper dans l'eau.

Sautage: *s.m.* Action de sauter.

Sauter au bec: Baiser, embrasser.

Sauter sur le bec: Baiser, embrasser.

Scrapeur: *s.m.* Grande pelle basculante mue par un cheval (de l'angl. *scraper*).

Secousse: *s.f.* Un certain temps, période de temps.

Senteux: *adj.* Curieux.

Serment (faux): Acceptation d'épouser quelqu'un parce que l'on est menacé physiquement.

Servante: *s.f.* Aide ménager. Emploi de servante.

Service: *s.m.* Service funèbre.

Sline: *s.f.* Ceinture (de l'angl. *sling*).

Smatte: *adj.* Gentil. Intelligent (de l'angl. *smart*).

Soigner: *v.t.* Nourrir les animaux.

Sortir: *v.intr.* Courtiser les filles.

Sortir du bois: Arriver à la civilisation.

Soupe. *s.f.* Potage épais servant ici de mets principal.

Soupe aux pois: Potage épais à base de pois jaunes. Il contient généralement du lard et des herbes salés.

Soupe (belle): Bonne soupe.

Soupe (première belle): Soupe d'excellente qualité.

Souper: *v.intr.* Prendre le dîner.

Souper: *s.m.* Dîner.

Suisse: *s.m.* Animal de la famille des écureuils, genre tamias.

Tanné: *adj.* Fatigué.

Tant de temps: Un certain temps. Durées successives.

Tas: *s.m.* Lot.

Tasser (se): Se ranger de côté.

Tendre à réveiller: Avoir le sommeil léger.

Têtes d'arbres: *s.f.pl.* Route, direction.

Tirer: *v.t.* Traire.

Tireuse de vaches: Femme qui trait les vaches.

Toffer: *v.intr.* Durer (de l'angl. *to tough*).

Tomber dans la farine: Se mettre à faire des pâtisseries.

Tonne: *s.f.* Mesure de poids équivalant app. à 2 000 livres ou à 0,9 tonne métrique.

Toquer: *v.t.* Frapper, heurter.

Tourtière: *s.f.* Pâté à la viande. Dans certaines régions, on y ajoute des pommes de terre.

Trempe: *adj.* Trempé.

Tremper: *v.t.* Servir de la nourriture.

Trimer: *v.t.* Bien habiller. Donner une semonce, une râclée (de l'angl. *to trim*)

Trouver bon: Etre surpris par la performance de quelqu'un.

Trouver sur le chemin (se): Etre ruiné, sans argent.

Tuer pour: Faire une boucherie de...

Valoir grand'chose (pas): Etre pauvre.

Varger: *v.t.* Frapper avec un bâton.

Venir à bout: Réussir.

Venir malin: Devenir irrité. Manifester du mécontentement.

Verge:

Vieille fille: Fille de plus de vingt-cinq ans.

Vieux fou: Vieil imbécile.

Vieux (les): *s.m. pl.* Le père et la mère âgés cohabitant avec un de leurs enfants.

Vironner: *v.intr.* Fureter, regarder partout.

Vivre (pour): Pour gagner sa vie.

Voir le coeur de quelqu'un: Connaître les sentiments de quelqu'un.

Voir l'heure: Prendre beaucoup de temps.

Voix du maître (sur la): Sous le commandement du maître, sous les ordres du maître.

Voix du roi (sous ou sur la): Sous le commandement du roi, sous les ordres du roi.

Volée: *s.f.* Volée de coups.

Woh!: *interj.* Commandement donné à un cheval pour le faire arrêter.

CONTEURS DE PÈRES EN FILS

Conteurs de père en fils. Isaïe Jolin dans la grande chaise de conteur.
(Coll. J.-Claude Dupont, topo: 1917, A.F., U.L.)

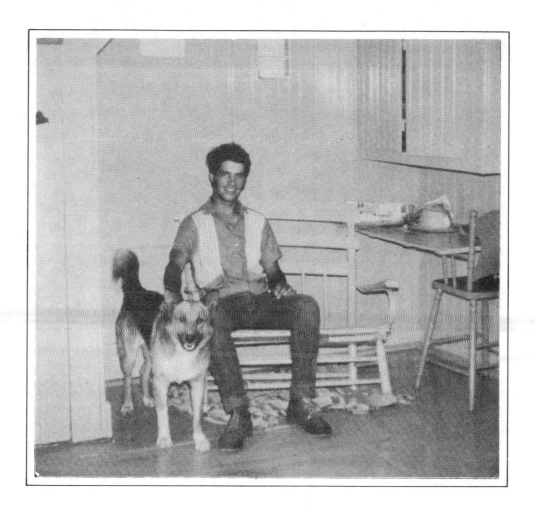

Conteurs de père en fils. Le dernier Jolin à reprendre la chaise de conteur. Jean-Paul Jolin, 21 ans en 1972.
(Coll. J.-Claude Dupont, topo: 2395, A.F., U.L.)

Les beaux jours. Isaïe Jolin le jour de Noël 1960.
(Photo fournie par la famille Jolin)

Le conteur et ses petits-enfants. Isaïe Jolin entouré de la famille de son fils Isaie.
(Photo fournie par la famille Jolin)

Auditoire d'un conteur. Groupe de bûcherons au repos, le soir, dans un camp forestier vers 1945.
(Photo fournie par l'Office du film de Québec)

Groupe d'hommes des *chantiers* des Vieux-Bois. Les uns ont des instruments de musique, un violon, un harmonica, les autres tiennent dans leurs mains un pain, des galettes, etc.
(Photo fournie par Liliane Caron, Saint-Pamphile, l'Islet)

INDEX DES TYPES
selon la classification Aarne-Thompson

TABLE DES MATIERES

Achevé d'imprimer sur les presses de
L'IMPRIMERIE ELECTRA
(Division de Sogides Ltée)

Imprimé au Canada/Printed in Canada